アメリカの世紀

繁栄と衰退の震源地をゆく

弓狩匡純
Yugari Masazumi

さくら舎

目次◆アメリカの世紀——繁栄と衰退の震源地をゆく

アメリカ合衆国
地図
カナダ
ミネソタ州
Minnesota
メーン州
Maine
ヴァーモント州
Vermont
ニューハンプシャー州
New Hampshire
マサチューセッツ州
Massachusetts
ニューヨーク州
New York
ロードアイランド州
Rhode Island
コネティカット州
Connecticut
ウィスコンシン州
Wisconsin
ミシガン州
Michigan
ペンシルヴェニア州
Pennsylvania
ニュージャージー州
New Jersey
オハイオ州
Ohio
デラウェア州
Delaware
アイオワ州
Iowa
インディアナ州
Indiana
ウェストヴァージニア州
West Virginia
メリーランド州
Maryland
イリノイ州
Illinois
ヴァージニア州
Virginia
ワシントンD.C.
Washington D.C.
ケンタッキー州
Kentucky
ノースカロライナ州
North Carolina
ミズーリ州
Missouri
テネシー州
Tennessee
サウスカロライナ州
South Carolina
アーカンソー州
Arkansas
アラバマ州
Alabama
ジョージア州
Georgia
ミシシッピ州
Mississippi
ルイジアナ州
Louisiana
フロリダ州
Florida
オクラホマ州
Oklahoma
キューバ共和国
ハイチ
共和国
ドミニカ
共和国
ジャマイカ
プエルトリコ自治連邦区

アラスカ州
Alaska
ワシントン州
Washington
モンタナ州
Montana
ノースダコタ州
North Dakota
オレゴン州
Oregon
アイダホ州
Idaho
ワイオミング州
Wyoming
サウスダコタ州
South Dakota
ネブラスカ州
Nebraska
ネバダ州
Nevada
ユタ州
Utah
コロラド州
Colorado
カンザス州
Kansas
カリフォルニア州
California
アリゾナ州
Arizona
ニューメキシコ州
New Mexico
テキサス州
Texas
メキシコ合衆国
ハワイ州
Hawaii

アメリカの世紀

――繁栄と衰退の震源地をゆく

1－メイフラワー二世号◉プリマス（マサチューセッツ州）

立志伝中の父祖、ピルグリム・ファーザーズの上陸

メイフラワー号の過酷な大西洋航海

欧州から米東海岸への移動は、八時間たらず。いまであれば、映画を二本も観れば事たります。ここぞとばかりにバーボン・ウィスキーをガブ飲みするわけにもいかず、ひと眠りするには微妙なフライト時間でしょう。ところが、一六二〇年九月十六日にイングランド南西部のプリマス港を発った帆船メイフラワー号は、六六日もかけて十一月二一日に、現在のマサチューセッツ州東端のケープコッド湾に到達。乗客たちは、プロヴィンスタウン近くの雪で覆われた浜辺に上陸しました。

当初はチェサピーク湾に面したヴァージニア植民地のジェームズタウンを目指していましたが、嵐によって大きく北へ流されてしまった果ての悲劇でした（ちなみに、その一世紀以上前の一四九二年にスペインのアンダルシア州パロスを出航したクリストファー・コロンブスは、西インド諸島のサン・サルバドル島に辿《たど》りつくまで六九日かかっています）。

三本マストのメイフラワー号は、全長八〇フィート、載貨重量が一八〇トンで、当時としては中型クラスの貨物船にすぎませんでした。この無謀とも思える大航海に漕ぎ出したのは、一〇二名の清教徒たち（一〇四名という説もあります。乗組員はクリストファー・ジョーンズ船長以下約三〇名）。のちにピルグリム・ファーザーズと呼ばれる面々です。

狭い船内では満足に体を動かすこともできず、乾物や塩漬けといった限られた食料しか持ちこめなかったため、乗客は栄養失調にさいなまれます。船酔いする者も続出し、貴重な真水は使えないため洗濯もままならない不衛生な状態が続いたといいます。

プリマスに係留されている、復元されたメイフラワー二世号。狭い船内では居住空間はないに等しかったと思われる

プリマスのステイト埠頭《ふとう》には、一九五六年に英国で復元され、翌年イングランド南西部のデヴォンを旅立った実物大のメイフラワー二世号が係留されています。私も実際に乗船してみましたが、当時の様子を再現した船内は想像していた以上に狭く感じられました。ここに

家財道具や四〇〇樽ものビール、食料を積みこんでいたわけですから、居住空間はないに等しかったはずです。

貨物船であったため、造作もきわめてシンプルで質素。よくぞこのような慎ましい船舶で大西洋を渡ったものだと驚かされるとともに、乗客らの並々ならぬ意気込みに、畏敬の念を禁じ得ませんでした（二〇二〇年四月には、メイフラワー号建造四〇〇周年を記念して、コネティカット州のヘンリー・B・デュポン・プリザベーション・シップヤードにおいて三〇ヵ月かけて修復工事が行われています）。

現在の豪華客船であれば、ゆったり航行しても二ヵ月で楽に地球を半周できてしまいます。何が悲しくて彼らは、まるで罰ゲームのように過酷な旅を選択したのでしょう。

自らを〝聖人〟と称していた彼らには、新天地を目指すだけの明確な理由がありました。

米国の理念の礎《いしずえ》になった『誓約書』

絶対王政を掲げたジェームズ一世の治世下にあったイングランドやスコットランド、ウェールズ、そしてアイルランドでは、プロテスタントの英国国教会（アングリカン・チャーチ）が宗教統制を強め、カトリック信者や、分離派と呼ばれた非国教徒のイングランドに住むカルヴァン派ピューリタン（清教徒）、スコットランドの長老派（プレスビテリアン）らは徹底的に弾圧されていました。

ノッティンガムシャー北部の小村スクロービーで禁欲的な生活を送っていた敬虔なピューリタンたちは、一六〇八年に、迫害を逃れてネーデルラント連邦共和国（現オランダ王国）の商業都市ライデンへと移住します（ピルグリムとは〝巡礼者〟という意味ですが、彼らが信教の自由を求めてさまよい歩いたため、この名がつけられました）。

彼らは当地で信仰の自由を享受することはできたものの、移民たちは繊維業などの手工業に就くことを許されなかったため、困窮生活を余儀なくされます。また、彼らはライデンの自由気ままな気風が子どもたちの信仰心を薄れさせることを恐れました。

そんな折、前年に新大陸でヴァージニア植民地が建設されたことを知り、彼らは信仰を維持し、生活を守るため、まさに「生きるため」に海を渡る決断を下します。

しかしながら、命からがら到着したとはいえ、そこはジェームズ一世の勅許を得て設立された植民・貿易会社のヴァージニア会社が入植を許したジェームズタウンからは、遠く離れた最果ての地でした。右も左もわからない新大陸を、厳寒をついて縦断することなど、事実上不可能です。かといって、母国に引き返すわけにもいかない。行くも地獄、戻るも地獄とはまさにこのことでしょう。

メイフラワー号の一〇二名の乗客のうち、ピューリタンは四一名で（男十七名、女十名、子ども十四名）、そのほかは新大陸で一旗揚げようと乗りこんできた英国国教徒たちでした。〝ストレンジャー〟と呼ばれた彼らは、ピューリタンとは袂を分かちたいと言い出します。

そもそも敵対する信仰をもった人々との集団生活などあり得ない。申し出は受け入れたものの、乗客の〝分断〟によって信者が動揺し、亀裂が生じることを危惧した彼らは、上陸直前に『メイフラワー誓約書（Mayflower Compact）』を作成し、四一名全員が署名します。簡単にいえばこれは、彼らが信仰心の強さを確認し合い、ひとつにまとまるための血判状のようなものでした。

ピルグリム・ファーザーズの定住以前に、すでにジェームズタウンという植民地があり、歴史的にはプリマスが最初の定住地とはいえません。それでも米国人が彼らをこの国の始祖と見なす、その理由はこの誓約書にあります。同文書には、

「神の栄光のため、キリスト教の信仰の促進のため、ならびにわが国王と祖国の名誉のために、バージニア北部に最初の植民地を建設する航海に出かけたものであり、本証書によって、神とわれら自らの前で厳粛かつ相互に誓約し、われらのより良い秩序の保全、ならびに前述の目的を達成するために、結束し、市民による政体を形成する。そして、これに基づき、随時、植民地全体の権利のために最も適切と思われる、公正で平等な法律、命令、法令を発し、憲法を制定し、公職を組織する。そしてこれらに対して、われらは当然かつ全き服従と従順を約束する」（米国大使館　広報・文化交流部による仮翻訳）

と記されています。

つまり、皆で話し合うことに重きを置き、民主的なグループとして行動しよう、といった

約束事でした。しかしながら、同文を注意深く読んでみれば、ジェームズ一世や祖国イングランドに忠誠を誓ってはいるものの、それらは彼らが捨て去ってきたものだということがわかります。図らずも目的地から外れてしまったため、ピューリタンたちは一致団結して、文字通り純粋な（ピュア）精神で〝神の国〟、マタイによる福音書（五章第十四～十六節）に登場する「丘の上の町」を作ろうと決意したことが言外にうかがえます。

この誓約では、「祖国」ではなく、「市民による政体」に服従すると宣されています。つまり、国家との主従関係ではなく、自由で独立した個人と個人との関係から生まれる「契約」に従うべきだといった社会契約思想の原点をここに見ることができます。この考え方が民主主義のベースとなり、やがて米国憲法の理念につながったと考えられています。すべてはここから始まりました。

プリマスに辿りついた四一名のピューリタンたちが、商業目的でジェームズタウンを開拓した入植者たちとは区別され、ファウンディング・ファーザーズ（建国の父）として、いまも讃えられる理由がここにあります。彼らは、米国人が理想とするセルフ・メイド・マン（立志伝中の人物）であり、神に選ばれし人々でもあったわけです。

日本にも取り入れられたピルグリム・ファーザーズの理念

八百万《やおよろず》の神と同居する私たち日本人にとって、キリスト教、なかでもプロテスタントは縁遠い存在と思われがちですが、意外にも身近なところで接点を見出すことができます。慶應義塾（現 慶應義塾大学）の創始者として知られる福澤《ふくざわ》諭吉《ゆきち》は、その著書『学問のすゝめ』のなかで、あの有名な「天は人の上に人を造らず、人の下に人を造らず」という名言を残していますが、これは米国の第三代大統領トマス・ジェファソンによって起草された米独立宣言の一節を意訳したものとされています。

原文に記された“Creator”とは、取りも直さずキリスト教における「神」を意味することは明らかです。宗教よりも実業に興味があった福澤は、これに儒教で用いられていた日常語の「天」をあてたといわれています。

また、同志社英学校（現 同志社大学）の創設者である新島襄《にいじまじょう》は、清教徒革命の流れを汲む超教派のアメリカン・ボードの準宣教師でした。

実業界においても、森永製菓を起ちあげた森永《もりなが》太一郎《たいちろう》をはじめ、山崎パンの創業者である飯島藤十郎《いいじまとうじゅうろう》、ライオンを創立し“法衣《ほうえ》を着た実業家”といわれた小林富次郎《こばやしとみじろう》、白洋舎を創った五十嵐健治《いがらしけんじ》など、錚々《そうそう》たる面々がキリスト教徒であったように、明治以降米国経由で輸入されたプロテスタントの理念は、近代日本の発展に大いに寄与したといえるでしょう。

戦後、日本を占領した連合国軍最高司令官総司令部（GHQ）のダグラス・マッカーサー最高司令官は、英国国教会（アングリカン・チャーチ）の熱心な信徒で、毎晩、必ず聖書の一節を唱えて眠りについたといわれています。

「キリスト教と東洋の宗教とは、一般に考えるほど違ったものではない。両者の間に衝突するものはほとんどなく、お互いに理解を深め合うことで得るところが少なくない」と考える彼は、邦訳された聖書一〇〇〇万冊を輸送船で運び、一九五一年までに計二五〇〇名もの宣教師を、米軍機を使って日本へ招聘《しょうへい》してもいます。

大西洋の荒波を越えてプリマスに上陸したピルグリム・ファーザーズの教えは、太平洋を隔てた遠い〝異国〟でも着実に実を結び、近代日本の指針を定めたともいえるでしょう。一世紀半にもわたる両国間の〝信仰〟をめぐる愛憎劇は、とても八時間のフライト時間で語りつくせるものではありません。

2－ハーバード大学◉ケンブリッジ（マサチューセッツ州）

米国社会は果たして「自由」で「平等」か？ 超高学歴社会の実態

リベラル・アーツを重要視し教養人を育てる

私が米大学に留学した初年度には、必修科目に「数学Ⅰ」がありました。私は、計算がどうにも苦手です。それでも「初級」程度であればなんとかなるだろうとたかをくくり履修してみたところ、びっくり仰天してしまいました。曲がりなりにも大学だというのに、円周率や因数分解、平方根など、日本であれば中学校レベルの内容です。言うまでもなくテストでは満点の連続で、周囲からは尊敬のまなざしで見られましたが、とにもかくにも驚かされたのはその授業の進め方でした。

まずもって「0」とは何か？　いわゆる「0」の概念から講義は始まります。しかも教授は懇切丁寧に教え、生徒も議論に熱中する。方程式からではなく哲学から入るといった、日本ではまずお目にかかれない質の高い内容でした。

米国の高等教育ではリベラル・アーツ、一般教養を身につけることに重きが置かれています。実務的な知識や技術は専門課程に進めば学ぶことができる。その前に、教養人（エリート）としての基礎を徹底的に叩きこむというわけです。ささいなことのように思えますが、こうした教育に対する姿勢にも、米国の底力が垣間見えます。

「学力の高さ＝信用」になる実力社会

二〇二〇年の段階で、全米には三九八二の大学があります（米教育統計センター調べ）。その頂点に立つのが、アイビー・リーグと称される八校の私立大学です。なかでもマサチューセッツ州ボストンにあるハーバード大学は、世界でもっともレベルの高い大学だといわれています。一六三六年に創立された同大学は、これまでに八名の米大統領、一六〇名ものノーベル賞受賞者を輩出しています（二〇二〇年十月現在）。

一般的に、米国の大学は「入学するのは簡単だが、卒業するのが難しい」と信じられていますが、必ずしもそうとは言いきれません。ハーバード大学のような名門校であれば、高校時代の成績や学力評価試験（ＳＡＴ）が飛びぬけて優れていなければ入学は認められません。合格率は東京大学をはるかにしのぐ、わずか五・四％（二〇二〇年）といった狭き門です。

また、アイビー・リーグともなれば、最低でも年間六万二二五〇ドル（約七〇〇万円）といった高額な学費を支払えるだけの経済力がなければ学業を継続することはできない。日本の国公立にあたる州立大学でも、カリフォルニア大学バークレー校などでは州外の学生であ

ハーバード大学が創立されたのはアメリカ建国の100年以上前である

れば日本円にして年間四〇〇万円以上もの授業料を納めなければなりません。

ほとんどの学生が奨学金をもらうか、学生ローンを組み、自らアルバイトで学費を稼ぐ米国では、決して楽な金額ではありません。高等教育においても英哲学者ハーバート・スペンサーが唱えた適者生存（survival of the fittest）の法則に従い、学習意欲のない者、経済力のない者は容赦なく切り捨てられます。

民主主義を標榜する米国社会は、「平等」を基本理念に掲げています。ところが現実は、日本とは比べものにならないほど過酷な学歴社会となっています。日本の場合は三流大学卒であろうが就職さえできれば、才覚次第で出世の道は開けます。能力さえあれば（たとえなくても）社長どころか総理大臣の座を射止めることも夢ではありません。また、指導教官の推薦状を就職活動の際に求められることはまれですが、米国では成績評価値（ＧＰＡ）とともにこれが一生ついて回ります。

多種多様な民族が共存し、ある意味、「どこの馬の骨かわからない」人間が跋扈《ばっこ》する流動性の高い労働市場では、こうした人生の荒波にもまれる以前の人物評価がひとつの〝信用〟ともなり、リスクヘッジとして用いられているのです。

日本では有名校を中退したところで、受験戦争を勝ち抜いたといった一定の評価が与えられますが、米国ではまったくカウントされず、履歴書に書くことも許されません。一方で、転校や学部の変更は比較的容易に行えるため、入学後、優秀な成績を収めれば、有名校へ編入することも珍しくはありません。

加熱する学歴競争、裏では学歴詐称も

近年、こうした学歴偏重社会の裏をかき、学位を金銭で売買する学位商法（Diploma Mill）が蔓延《まんえん》し、社会問題化しています。米大学の場合には、卒業証書原本やＧＰＡは半永久的に保管されるためかんたんに照会することができますが、日本を含む他国の人事担当者はいともかんたんに非認定の学位にだまされてしまいます。それだけに、学歴詐称に対する風当たりはきわめて厳しいものがあります。

二〇一九年四月に、三五歳の若さで米国務省紛争安定化担当副次官補に任命されたミナ・チャンは、ハーバード大学の経営大学院《ビジネス・スクール》（ＨＢＳ）を卒業したと公言していましたが、実際

には七週間の短期プログラムを受講していただけでした。また、米陸軍戦略大学卒といった経歴も、四日間のセミナーにしか参加していなかったことが暴かれ、辞職に追いこまれます。学歴を偽ることは単なる詐欺行為に留まらず、階級社会においてはもっとも卑劣な掟破りと見なされ、社会的制裁を受けることとなります。

米国の大卒人口比率は、経済協力開発機構（OECD）の調べによると四七・四三％（二〇一八年）で、日本（五一・九三％）や大韓民国（四九・〇一％）よりも数字は低く、それだけ学位を取ることが困難であることがわかります。また、「学士号」だけでは管理職には昇進できないため、多くの社会人はいったん退職して大学へ戻り、経営修士号（MBA）を取得したり、法科大学院（ロースクール）に通い、自らの市場価値を高めます。

私が受講していたクラスでも、当たり前のように高齢者が机を並べていました。本人はまったく気にする様子はなく、周囲も特別扱いしない。多様性を尊重し、セカンド・チャンスを与える米国ならではの光景でした。

しかしながら過度な学歴社会は、自由な競争を妨げることにもなります。サウスダコタ州選出のジョン・R・スーン上院議員は、

「給与が三万五〇〇〇ドル以上のあらゆる仕事の半分以上で、学士号以上の学歴が要求されており、この傾向はさらに強まるだろう」と、警鐘を鳴らしています。日本とは異なり、ひと握りのエリート層によって経済がコントロールされている米国では、「学問」と「実業」

がきわめて近しい関係にあることがわかります。

米国には、カリフォルニア大学ロサンゼルス校やミシガン大学アナーバー校など、優れた州立大学も数多く存在します。しかしながらランキング上位を占めるのは、常にアイビー・リーグやマサチューセッツ工科大学（ＭＩＴ）、スタンフォード大学といった私立大学です。

これら私大の強みは、なんといっても卒業生の強固なネットワークでしょう。とくに伝統校であるハーバード大学の同窓生人脈は、各国の王侯貴族から政財界に至るまで幅広く、ビジネスにおいても世界をまたにかけた互助会のような役割を担ってきました。

また、成功者は母校に莫大な寄付を行うことが暗黙の了解となっており、米大のキャンパスを歩くと個人名が冠された図書館や体育館、研究所、または私道をそこここに見つけることができます。宗教的に偶像崇拝が受け入れられている同国において、個人名を公共施設に付すことは、当人にとっては大変な栄誉であるとともに、後輩たちには崇拝すべきグールー（思想的指導者）を可視化する効果をもたらしています。

フェアな成績評価を蝕《むしば》む少子化と商業主義

このように米国の高等教育機関は、あくまでも学問を修める場であり、意欲がなければ周囲の生徒や教員の迷惑になるため、とっととお辞めください、といった基本スタンスが貫かれています。私の留学経験からいっても、一度でも無断欠席すれば自動的に落第。たとえ正当な理由があろうとも、数回欠席をくり返せば評価は「D」となり、単位取得は危うくなります。

ただ、競争を強いられるのは学生だけではありません。教えるほうも、日本の大学のように教科書通りの講義を行えば、まずもって学生が集まらない。ネットで調べればわかる程の〝考察〟に、高額な授業料を払ってまで受講する価値などない、と判断されます。また、その手の講義しかできない教授に対しては、生徒から「F」評価が突きつけられ、場合によっては教授会によって辞職が勧告されます（多くの大学では、各授業の最後にアンケート用紙が配られ、講義内容が生徒によって採点されます）。

しかしながら、米国もほかの先進国と同じく少子化の波にさらされています。米疾病管理予防センター（CDC）の報告書によれば、十五～四四歳の米女性の出生率は一〇〇〇人に対して五九人となり、最低水準を記録しています（二〇一八年）。一方で人口増加率は前年比〇・四八％増で横ばい（米商務省センサス局調べ）。とはいえ、こうした人口増加を支えているのは経済力の乏しい移民たちであるため、大学にとっての〝上客〟とはなり得ません。

そのため教育の「商品化」が顕著となり、富裕層の子弟の争奪戦が激化しつつあります。学費の高い大学ほど「A」を乱発し成績の水増しを行い、人気スポーツのクラブ運営費を増やすことで〝客寄せ〟を行っています。私が卒業した大学でも、二〇年ぶりに訪れてみると、バスケットボール専用の屋内競技場が、人気アーティストのコンサートも開催されるほど巨大なアリーナに建てかえられていました。

また、多くの学生たちは高騰する授業料を学生ローンで補っていますが、米連邦準備委員会がまとめた消費者信用報告書によれば、二〇一九年には四四〇〇万人が学生ローンを借りており、総額一兆五六〇〇億ドル（約一七〇兆円）にのぼるといいます。有名校を卒業した学生が、借金を払いきれずホームレスになるといった悲惨なケースも生まれています。米政府が定める標準的な返済期限は十年とされていますが、現実的には完済するまでに平均で十九・七年を要しています。つまり就職、結婚を経てもなお、学生ローンを返済しつづけるという悪循環に陥っています。

一％のもっとも裕福な人々が国の富の約三九％を占めるいびつな階級社会は、ハーバード大学を頂点とする学歴によって築かれているといっても過言ではありません。大学無償化といった大胆な提案もされていますが、教育界のピラミッドを打ち崩すことで学力低下を招くおそれも指摘されています。ハーバード大学の標語は“Veritas（真理）”。営利主義に蝕まれた高等教育をいかに立て直すか、いまこそひと握りのエリート層の、叡智が試されています。

3－ホワイトハウス◉ワシントンD.C.
個性豊かな大統領たちはこの屋敷でいかなる夢を見たのか

ホワイトハウスの歴史

ホワイトハウスは、なぜホワイトハウスと呼ばれるのか。初っ端から思わせぶりな問いかけですが、なんのことはない。レッドカーペットが赤じゅうたんであるように、イエローキャブが黄色く塗られているように、どうやら建てられた当初から白かった、という身も蓋もない理由がその真相だったようです。

砂岩で作られたホワイトハウスを雨や雪から守るため、その表面には石灰を含んだ水漆喰《みずしっくい》が塗られていました。当時、周囲には民家もまばらで、そこここに放牧された牛が「モォ〜」と鳴き、沼地が広がっていたことから、とにもかくにもやたらと目立つ建物だったといいます。そのため農民たちが、大統領の住まいとは知らずに「あの白い建物」と呼んだことが事の発端でした。なんとものどかな時代です。

ホワイトハウスは、ご存じの通り米大統領の公邸であり、執務が行われる仕事場です。大別すると大統領と家族の住居がある中央のエグゼクティブ・レジデンス、執務室や閣議室があるオーバル・オフィスと呼ばれるウェスト・ウイング、ファーストレディーの執務室や大小さまざまなレセプションを取りしきる社会事業担当官のオフィスがあるイースト・ウイングから成り立っています。

私たちがテレビなどでよく見かける半円状のバルコニーがあるのは、じつはホワイトハウスの背面で、バックヤードには手入れの行き届いた芝生が広がっています。さすがに牛の姿は見当たりませんが、歴代大統領のうち三一名が大の愛犬家でした。ジョー・バイデン大統領もジャーマンシェパードの〝ファースト・ドッグ〟チャンプとメイジャーと同居しています。正面は意外にシンプルなつくりであるため、まさかこれが超大国のリーダーの住居だとは思わず、多くの観光客が素通りしてしまうといいます。

ホワイトハウスは、ジョージ・ワシントン初代大統領の命を受け、一七九二年に建設が始まりました。一八〇〇年十二月にようやく完成したものの、ワシントン自身はその前年に亡くなったため、第二代大統領のジョン・アダムズがホワイトハウスの最初の住人となります。

ファーストレディーであったアビゲイルは娘に宛てた手紙のなかで、

「ボルチモアを発ち、フレデリック郡を八〜九マイル進んで森を抜けましたが、案内してくれた人もホワイトハウスを見つけることができず、二時間も迷ってしまいました」

とぼやいてみせ、
「工事が終わっている部屋はひとつもないため、大きな客間に洗濯物を干しています」（十一月二一日付／著者訳）

農民たちがつけた愛称が正式名となったホワイトハウス

とも綴っています。

ホワイトハウスは当初、公式には「エグゼクティブ・マンション」と称されていました。いかにもヨーロッパ風の気取った名称ですが、案の定、一般庶民にはまったく浸透しなかったため、一九〇二年になって第二六代セオドア・ローズヴェルト大統領が「ホワイトハウス」へ正式に名称を変更しています。

連邦政府の直轄地「ワシントンD.C.」

ホワイトハウスの職員数は二〇一四年七月の段階で四五六名。平均年収は八万三〇〇〇ドル（約八四七万円）となっています。当然のことながら高学歴者が多いため、一般企業に勤める社員のほぼ倍額を手にしている計算になります。

また、日本の場合は、政権が代わっても大臣、副大臣、政務官が代わる程度で高級官僚は居座りつづけますが、興味深いことに米国の場合には、各省庁の事務次官や局長からホワイトハウスのスタッフに至るまで約四〇〇〇名の連邦政府職員がすべて入れかわります。伝統的に官僚制度を〝悪の権化〟と見なす同国ならではの大がかりな〝お引っ越し〟です。そのため政権政党へのすり寄りや天下りといった弊害は避けられる一方で、継続的な政策を打ち出しにくいといったデメリットも抱えています。

ホワイトハウスは人口七〇・五七万人を擁する首都ワシントンD.C.の中心に位置していますが、この「D.C.」は「コロンビア特別地区」の略称です。新大陸を発見したクリストファー・コロンブスとジョージ・ワシントンを讃えたネーミングで、どの州にも属さない連邦政府の直轄地となっています。

この「直轄地」といった考え方は米国独自のものではなく、オーストラリア連邦やブラジル連邦共和国、インドやマレーシアでも採用されています。しかしながら驚くことに、ワシントンD.C.の住民には米市民であれば誰でも享受できる自治権と選挙権が与えられていません。現在も条例は連邦議会によって審査され、議決権のない下院議員しか選出できないため、五一番目の州として〝自立〟する議論が延々と続けられています。

農園主、軍人、弁護士、実業家、俳優、さまざまな経歴の大統領たち

国家元首である大統領は、行政府の長であると同時に軍の最高司令官でもあります。まさに世界でもっとも強大な権力と影響力を有するリーダーであるだけに、ホワイトハウスの主となるにはエリート中のエリートでなければならないと思いがちですが、必ずしもそうとは限りません。

最近は、連邦議会議員や州知事からステップアップするケースがほとんどですが、歴代大統領の前職を調べてみると、弁護士と軍人が大半を占めていることがわかります。米国のような契約社会においては、法理を理解していなければ政治家は務まりません。また、建国以来、常に戦争にコミットしてきた米国では、戦場のヒーローに国の采配《さいはい》も託すといった伝統があります。

初代大統領のジョージ・ワシントンは二〇歳までヴァージニア植民地の農園主でしたが、民兵組織の地区隊長となったのを皮切りにフランス共和国、そして英国とはアメリカ合衆国陸軍の最高司令官として独立戦争を戦いました。独立後、彼は一七八九年に選挙人投票率一〇〇％という圧倒的な支持を得て大統領に選出されますが、それもこれも独立戦争における軍功によるものでした。

戦後、わが国の占領政策を主導した連合国軍最高司令官総司令部（ＧＨＱ／ＳＣＡＰ）のダグラス・マッカーサー最高司令官も、大統領職に意欲を燃やしていたひとりです。

下馬評では共和党の大統領候補との呼び声が高かったため、一九四八年四月に開かれたウィスコンシン州の予備選挙で共和党候補として登録されました。ところが遠く離れた日本からでは選挙運動もままならず、六月に開催された共和党大会では一〇九四票のうち一一票しか獲得できず、選挙戦から早々と脱落してしまいます。

エンターテインメント界から政界入りしたロナルド・レーガン第四〇代大統領は、ポピュリズムを推し進めたドナルド・トランプ前大統領の先輩格にあたりますが、彼はできるだけ派手な演出は控え、芸能人ではなく実務派としてのイメージを打ち出そうと苦心しました。いまだ、多様性は認められず、芸能人は一段低く見られていた時代でした。

「米国を再び偉大な国へ（Make America Great Again）」を旗印に孤立主義を推し進め、人種差別を助長し「分断」を深めたと批判されたトランプ前大統領は、これまででもっともソープオペラ的なリーダーであったといえるでしょう。彼の（主義ではなく）信条は、「損得勘定」と「米国第一」といったきわめてシンプルなものでした。

米国にとって利益があると踏めばなんでもする。中国製品に高関税を課す、安価な労働力の供給源であるメキシコ合衆国との国境警備を強める、イスラエル国に肩入れする。政治経験がまったくない彼が大統領の座にまでのぼりつめた理由は、米国の悪しき拝金主義の体現者であり、どん底から這いあがったアメリカン・ドリームのシンボルとして崇められたからにほかなりません。

トランプ前大統領は、「アメリカ合衆国」という国が、すでにかつての「アメリカ合衆国」ではないことをいち早く見抜き、インテリ面《づら》した為政者たちが見て見ぬふりをしてきた「分断」を、あえて自らヒール（悪役）となって白日の下にさらしました。

「消去法当選」のバイデン大統領

ゴリ押しともいえるパワープレーを展開したトランプ前大統領に対する反発から、第四六代大統領に選ばれた中道左派のジョー・バイデンですが、まれに見る〝消去法〟によって選ばれた国家指導者ともいえるでしょう。わが国においては日常茶飯事となっている「どちらかといえばこちらの候補者」といった消極的なチョイスは、二大政党制の米国ではあり得ません。

言語学者でありマサチューセッツ工科大学（ＭＩＴ）の名誉教授であるノーム・チョムスキーも、

「バイデンは中身が空っぽの器です。確固たる主義主張があるようには見えませんね。民主党全国委員会とは真っ向から衝突しています」

と、喝破しています。

二〇二〇年の大統領選では七四〇〇万人もの米国民がトランプ前大統領を支持し、共和党が上院の過半数を占めるいわゆる〝ねじれ現象〟が生じています。米国の場合、行政府と立法府が一党によって独占されることを忌み嫌う傾向があります。そのため日本とは異なり、権力の分散はむしろ健全とする考え方が根強くあります。

しかしながら、政権運営にとっては大きな障害となります。法案や外国との条約締結などは上院の可決が必要不可欠であるため、環境問題をはじめ前政権とまったく異なる公約が実現できる保証はどこにもありません。

健康が不安視される史上最高齢のバイデン大統領ですが、米国人の知人のなかには、

「バイデンに何かあってもカマラがいるから大丈夫」

と、公言するリベラル派さえいます。

カマラ・D・ハリスは女性初であるだけではなく、アフリカ系市民である父とタミル系インド人の母をもつ、初物づくしの副大統領です。もしも彼女が大統領になれば、歴史的快挙であることは言をまちません。とはいえ、急進派の彼女は共和党のみならず保守派からの攻撃も一身に浴びることとなり、「分断」をさらに悪化させるとも危惧されています。

前途多難なバイデン政権ですが、舵取り次第では三年後、米国は私たちが知る「アメリカ合衆国」とは異なった形態の国となっているかもしれません。同国が「アメリカ的なるもの」を取り戻すのか、それとも「アメリカ的なるもの」を捨て去るのか。ホワイトハウスはいま、大きな岐路に立っているといえるでしょう。

4－マックヘンリー要塞◉ボルチモア（メリーランド州）

米英戦争時、暁の空にひるがえった星条旗から生まれた国歌

米国人と国歌

米国の国歌『星条旗（The Star-Spangled Banner）』は、世界でもっとも知名度の高い国歌と言っていいでしょう。メジャーリーグ（MLB）やナショナル・フットボール・リーグ（NFL）、ナショナル・バスケットボール・アソシエーション（NBA）といったプロスポーツの試合前には必ず歌われるため、皆さんも一度は耳にしたことがあるはずです。

米国最大のプロスポーツ・イベントであるNFLの優勝決定戦『スーパーボウル』の開幕を告げる国歌独唱も、レディー・ガガやクリスティーナ・アギレラ、アリシア・キーズ、ピンクなど錚々《そうそう》たるアーティストたちがその大役を務めてきました。とくに一九九一年のホイットニー・ヒューストンによる圧倒的なパフォーマンスは、歴史的名唱として語りつがれており、エンターテインメント界でも、このステージで国歌を歌うことは最大の栄誉とされています。

湾岸戦争以降、試合会場では国歌の演奏に先立って、必ず「世界各地で自由と民主主義を守る戦い」を展開している米軍の健闘を讃えるアナウンスが流されるようになりました。続いて観客も起立し、右手を左胸に当てながら、オーロラビジョンに大きく映し出される星条旗を仰ぎ見て、国家に対する忠誠心を表します。

この心臓の上に手を当てるしぐさは米国オリジナルの慣習で、公式行事において『忠誠の誓い（Pledge of Allegiance）』を暗誦する際に用いられるポーズでもあることから、単なる愛国心の域を超えた米国人としてのアイデンティティを示す拠りどころともなっています。

マックヘンリー要塞総攻撃

多様な米国人の心をひとつにする『星条旗』は、次の一節で始まります（著者訳）。

おお　夜明けのほのかな光の中でも
はためいていると伝えてくれ
黄昏の最後の輝きを浴びて
誇り高く掲げられた我らの旗
危険きわまりない戦闘の最中にも
我らが死守する砦の上に　星条旗は

雄々しくひるがえっていただろうか？

きわめて好戦的な歌詞をもつこの国歌は、米英戦争の真っ只中であった一八一四年に、弁護士のフランシス・スコット・キーによって作詞されました。

彼は、この年の九月十三日に英軍と戦争捕虜の交換交渉を行うため、メリーランド州ボルチモアを訪れていました。ジョン・スチュワート・スキナー大佐とともに英戦艦『トナント』に乗りこみ会見に臨みますが、ボルチモア沖合に停泊した英艦隊の戦力、陣容をつぶさに目撃した彼らは、英海軍のアレキサンダー・コクラン中将によって船上に拘束されてしまいます。

その夜、チェサピーク湾からパタプスコ川を北上した『ボルケーノ』や『デバステーション』など五隻からなる英艦隊が、ボルチモア防衛の要衝であるマックヘンリー要塞に向けて総攻撃を開始します。

無類の愛国者であったキーでしたが、立ちのぼる火柱が闇夜を照らす対岸のボルチモアを、敵艦の甲板から眺めるしか手立てがありませんでした。十から十三インチの迫撃砲から止めどなく放たれた砲弾は、一晩で一五〇〇発以上にも達したといわれています。

超大国としての米国しか知らない私たちは意外な印象を受けますが、米国はかつて英国の植民地でした。チェサピーク湾の河口に近いヴァージニア州ジェームズタウンに最初の植民

米英戦争の激戦地となったマックヘンリー要塞

地を築いた英国は、多くの植民者を送りこみました。同じく植民地の拡大をもくろむフランスとの戦いには何とか勝利を収めましたが、英国が戦費を植民地における課税強化で賄おうとしたため、一七七五年に独立戦争が勃発します。すなわち、植民者と本国英国との戦いです。

一七七六年に英国からの独立は果たしたものの、海上封鎖によって経済的打撃をこうむり、入植を拒むネイティブ・インディアンの背後で英国が暗躍していると見た米国は、再び英国と戦火を交えることとなります。いまやスーパーパワーとなった米国も、建国の際には生みの苦しみを味わっていたのです。

その米国が英国に対して宣戦布告したのが、一八一二年六月十八日（米英戦争）。その理由のひとつが「自由貿易の保護と船員の権利保証」でした。そのため、ボルチモアは人口五万人たらずの小さな港街にすぎなかったにもかかわらず、漁師たちは漁船に武器を持ちこみ、いく度となく英国の商船を襲い、〝海賊の巣窟〟として恐れられました。こうしたゲリラ戦法に手を焼いた英海軍は、首都ワシントンにほど近いこのボルチモアの攻略を決断するに至りました。

一七九九年から一八〇二年にかけて建造されたマックヘンリー要塞の形状は、函館《はこだて》の五稜郭《ごりょうかく》と同じ星形をしています（一六世紀にフランスで考案された稜堡《りょうほ》式城郭）。この四三エーカーの要塞に立てこもった守備兵たちが、当時世界最強と謳われた英艦隊を勇猛果敢に迎え撃ちました。レンガ造りの要塞の中央には、ボルチモアの機織《はたお》り職人であるメアリー・ピッカーズギルが羊毛で編んだ縦三〇フィート、幅四二フィートもの巨大な星条旗が高々と掲げられていたといいます。

国民の熱狂を生んだ詩

独立宣言の翌年にあたる一七七七年にデザインされた星条旗ですが、赤と白のストライプは独立当初の十三州を、左上の紺色の四角に描かれた白い星は合衆国を構成する州の数を表しています。州の数が増えるごとに星の数は増えますが、当時はまだ十五しか州はありませんでした（現在の国旗は、ハワイが州に昇格を果たした一九六〇年に制定され、五〇個の星が示されています）。マックヘンリー要塞は、劣勢に立たされていた米軍にとって、最後の砦だったといえるでしょう。

赤き閃光を引く砲弾の降りそそぐ夜を徹して

おお　我らの星条旗は　揺るぐことなく
いまだ　そこにはためいていた
自由の地　勇者の故郷に

キーは、圧倒的な火力を誇った英艦隊の猛攻に耐え、朝焼けの中に健気にはためく星条旗を認めます。友軍が要塞を死守したことにいたく感動したキーは、すぐさまペンを取り、ほんの数分間でこの歌詞の元となった詩歌『マックヘンリー要塞の防衛』をしたためたと伝えられています。

この詩は、戦闘から数日後の二〇日には早くも地元紙『アメリカ・アンド・コマーシャル・デイリー・アドバタイザー』に掲載され、大きな話題を呼びました。キーがこの詩を、英国で人気があり、米国でもさまざまな歌詞がつけられ歌い継がれていた『天国のアナクレオンへ』というロンドンの社交クラブのテーマ曲に合わせて披露したことから、やがてこの曲は全米へと広まっていきます。

それまで国歌の役割は、ドイツ系米国人のフィリップ・フィレが一七八九年に作曲し、ジョージ・ワシントン初代大統領の就任式で演奏された『大統領行進曲』が担っていましたが、『星条旗』が国民の間に浸透したため、一九三一年の議会決議を経て、正式に米国の国歌として制定されました。

このボルチモアの攻防戦における勝利が米国民を大いに勇気づけたことは、この詩に綴られた"In God We Trust（我々は神を信じる）"といったフレーズが、一九五六年に米国の紙幣や硬貨にも刻まれている同国の標語となったことからもわかります。

独立を自らの手で勝ち取った米国人の矜持《きょうじ》

我々日本人は、自然の悠久の美を讃える『君が代』を国歌と定めているため、『星条旗』のような戦闘的な歌詞には戸惑いを覚えます。ところが世界を見渡せば、戦争や戦闘をテーマとした国歌が多数を占めています。その理由は明らかで、国歌、国旗は米国のように独立を果たした際に制定されるケースが大半を占めているため、結果的に旧体制や宗主国に対する怒りや憎しみが切々と語られることとなるわけです。

また、救国を願い国民が一致団結して闘った記憶を後世に留めるべく、戦闘に参加した兵士や市民が好んで口ずさんだ愛唱歌や行進曲がしばしばそのまま国歌として採用されます。日本人の国歌に対する考え方は、世界的に見れば特異といっていいでしょう。ややもすれば愛国心を意味するパトリオティズム（patriotism）と国粋主義、あるいはナショナリズム（nationalism）を混同する傾向にあります。それもそのはずで、敗戦から一九七二年五月十五日まで米国に直接統治されていた沖縄をのぞけば過去においていて、ただの一度も他国に侵略され、植民地化されなかったわが国とは異なり、多くの国々は国境線を挟んだ隣国と血で血を洗う闘いを長年にわたりくり返してきました。そのため、国歌に綴られた一語一語からも苦難の歴史を見て取ることができます。

『星条旗』にも国の原点、原風景が語られています。血生臭い歌詞もパクス・アメリカーナに象徴される覇権主義を謳歌したものでは決してなく、独立、そして自由を自らの手で勝ちとったという誇りと自信が、そこに記されています。米国人がスポーツ観戦においてさえ国歌に敬意を払うのも、愛国心を育む「装置」を皆が共有することで、自らが「アメリカン」であることを再確認しているともいえるでしょう。

アイルランド語で「大きな家の町（Baile an Tí Mhóir）」を意味するボルチモアのマックヘンリー要塞には、今日も大きな『星条旗』がひるがえっていることでしょう。

5－アラモの砦◉サンアントニオ（テキサス州）
南部の一匹狼とメキシコの確執

メキシコの領土だったテキサス

何かといえば「イエスかノーか、はっきりしようじゃないか」とのたまう米国人。ともすればドライな国民性だと思われがちですが、何を隠そう、浪花節《なにわぶし》的な性分もしっかり持ちあわせています。とくにビジネスライクな北部ではなく、南部の人間にはこうしたウェットな気質が色濃く見て取れます。

テキサス州からやってきた米国人に、〝出身国〟を聞いてみてください。すかさず「テキサス！」と答えるでしょう。溢れ出る郷土愛のあらわれなのか、といえばそうとも言いきれません。というのも、テキサス州はかつて、実際に「テキサス共和国」というれっきとした独立国だったからです。

現在、テキサス州となっている地域はメキシコ共和国（現メキシコ合衆国）の領土でした。元々はコアウイラ・イ・テハス州に位置するテハス（Texas）だったわけですが、これを英語で発音すると「テキサス」になります。

メキシコ政府は、未開の地の開拓を進めるために入植者を受け入れていました。ところが、米国からの流入者がメキシコ系住民（テハノ）をはるかに上回ったため（一八三五年には二万五〇〇〇人〜三万人）、テキサスへの米国人の移住と奴隷制を禁止する法令を発布します。

中央集権的な支配体制を推し進めるメキシコのアントニオ・ロペス・デ・サンタ・アナ大統領に、不満を募らせたのがこれら入植者たちでした。自治を求める反乱が各地で起こり、一八三五年にはついに武力衝突にまで発展してしまいます。メキシコは、軍をサンアントニオに派兵し鎮圧に乗り出しましたが、甘く見たため逆にテキサスの義勇軍（テクシャン）に撃退されてしまいます。

アラモの砦での激戦と悲劇

このときにテクシャンの拠点となったのがアラモの砦でした。アラモの砦とは、先住民族をキリスト教へ改宗させる目的で建てられたサン・アントニオ・デ・バレロ伝道所を囲んだ要塞の別名です。十八世紀末には伝道所としての役割は終え、スペインの騎兵隊やメキシコ軍の駐屯地として使われていました。

スペイン語でハコヤナギを意味する〝Alamo〟と呼ばれていましたが、ここでの攻防戦がテキサスとメキシコの戦いのハイライトともなったため、この世にひとつしかないものを表す定冠詞“the”がつけられ、“The Alamo”と称されるようになります。

メキシコが独裁政権を確立し、国内外にその権勢を知らしめるためには、分離独立を目指すテキサスの反乱軍など蹴散らさなければなりません。舐められてなるものか。サンタ・アナ大統領は一八三六年二月二三日に、自ら六〇〇〇人を超える大軍を率いて戦いに挑み、無条件降伏を要求しました。

一方、テクシャンはといえば入植者や不法入国者の混成部隊で、アラモの砦にいたのは十六歳から五七歳の総勢わずか一八〇人ほどでした。テネシー州出身の英雄デイヴィ・クロケットも、義勇兵に加わり馳せ参じます。

クロケットは優秀なハンターでしたが、破天荒なキャラクターでも知られていました。常にアライグマの毛皮で作られた帽子をかぶり、庶民にもわかりやすい人情味溢れる辻説法で人気を集め、同州の下院議員にも選出されています。そのまま政界に安住していればいいものを、何を血迷ったのかテキサス革命に身を投じ、アラモの砦で非業の死を遂げました。彼の半生は生前には早くも舞台化され、いまも西部開拓を象徴する伝説のヒーローとして語りつがれています。

約二〇〇〇人からなるメキシコ軍のアラモの砦包囲は十三日間にも及び、三月六日未明、夜も明けきらぬうちに一斉攻撃が始まります。多勢に無勢。寝込みを襲われたテクシャンは反撃虚しく、午前六時半に砦は早くも陥落。指揮官のウィリアム・トラヴィス騎兵隊中佐の

アラモの砦の戦いで命を落としたデイヴィ・クロケット

奴隷と、女性と子どもをのぞくすべてのテクシャンたちは、その場で無残にも殺されてしまいます。攻め入ったメキシコ軍も、死傷者は六〇〇人にのぼったといわれる激戦でした。二七日には、メキシコ軍が捕虜を問答無用で銃殺するといった悲劇が起こり、ここから「アラモを忘れるな！（Remember the Alamo!《リメンバー・ジ・アラモ》）」の標語が生まれました。

アラモと日本の意外な関係

サン・アントニオ・デ・バレロ伝道所は、エスパーダやサン・ファンといった四つの伝道所と二つの牧場とともに、二〇一五年七月、テキサス州としては初の世界遺産「サン・アントニオ・ミッションズ（サン・アントニオ伝道施設群）」に登録されています。ただし、フランシスコ会による布教活動と先住民族であるコアウィルテカ人の文化が融合した独特の建築様式が評価されたため、「アラモの砦」といった歴史的背景が認められたわけではありません。

実際にアラモの砦を訪れてみると、サンアントニオのダウンタウンのど真ん中。オフィスビルの谷間にあり、遺構も二階建てのこぢんまりとした伝道所と外壁の一部しか残されていないため、何はともあれ大きなことに価値を置く米国にしては、驚くほど慎ましい佇まいとなっています。

ビルの谷間にたたずむアラモの砦

この敷地の片隅に、これまた小さな、ややもすれば見過ごしてしまいそうな漢詩が刻まれた石碑が立っています。これは愛知県岡崎市出身の地理学者で『日本風景論』を著した志賀《しが》重昂《しげたか》が、一九一四年に建立し、寄贈したものです。明治から大正にかけて三度も世界周遊を行った彼は、雑誌『日本人』を刊行するなど、当時の言論界をリードした思想家のひとりでした。

アラモの砦での籠城が長引き、食料・弾薬が底をついたため、司令官のひとりであったジェームズ・ボーナム大佐は、決死の覚悟で包囲網をかいくぐり、援軍を求めます。志賀は、この自己犠牲の精神に長《なが》篠《しの》の戦いを重ね合わせて讃えています。

長篠の戦いとは一五七五年五月、武田《たけだ》勝頼《かつより》率いる軍勢一万五〇〇〇人が、奥平定昌《おくだいらさだまさ》（のちの信昌《のぶまさ》）を城主とする長篠城に攻め入り始まった合戦で、織田信長《おだのぶなが》の天下統一の伏線となったことでも有名です。長篠城内に立てこもった約五〇〇人の兵は、兵糧庫が焼け落ちたこともあり、次第に消耗していきます。そこで足軽のひとりであった鳥居強右衛門《とりいすねえもん》は、自ら使者となることを申し出て、ひとり城を抜け出すと約六五キロ離れた岡崎城の徳川家康《とくがわいえやす》に長篠城の窮状を伝え、援軍を求めます。

すでに織田と徳川の連合軍は出陣の準備を整えており、一刻も早く朗報を持ちかえろうと急いだ鳥居でしたが、すんでのところで武田軍に捕らえられ、

「城内に向かって援軍は来ないと言えば、我が方の重臣にしてやろう」

と勝頼に取引を持ちかけられます。鳥居はすかさず、

「わかりました。城の前まで連れていってください」

と応じ、本丸から一〇〇メートルほどの城外に辿《たど》りつくと、

「連合軍は岡崎まで来ている。もう少しの辛抱だ！　それまで持ちこたえられよ！」

と、大声で叫びました。

驚いた勝頼は、その場で鳥居を磔《はりつけ》にし、槍で突き殺してしまいます。しかし、この声に俄然士気を高めた城兵たちは、十八日に約三万八〇〇〇の織田・徳川連合軍が到着するまで城を守り抜きました。志賀曰く、

「アラモは米国の長篠なり、長篠は米国のアラモなり、長篠の戦の壮烈なるを知る者、アラ

モの戦を知らざるべからず」

　この石碑には、真珠湾攻撃の際に何者かによって銃撃を受けた弾痕が残されていますが、いまも日米友好の証として、情に篤いテキサスの地に秘めやかに保存されています。

テキサスのその後

　アラモの砦で敗北を喫したテクシャンでしたが、「リメンバー・アラモ！」の雄たけびに鼓舞され、その四六日後にはサン・ハシントの戦いでメキシコ軍を見事撃破します。サンタ・アナ大統領は農夫に扮して逃亡を試みましたが、あえなく捕らえられ、処刑は免れたもののテキサスの独立を認めさせられてしまいます。そして五月十四日、ベラスコ条約が締結され、晴れてテキサス共和国の建国が宣言されました。

　同国の国旗には、青地に黄色い大きな星がひとつ描かれており、俗に「ローン・スター（Lone Star）」と呼ばれています。しかしながらテキサス共和国は、独立からわずか九年後には政治的、経済的理由から米国に併合され、消滅してしまいます。また、一八四五年に二八番目の州になったことで、翌年に勃発するアメリカ＝メキシコ戦争の引き金ともなります。

　テキサス州を訪れると、いまでもこの「ローン・スター」を目にすることは珍しくありません。米国の一員となったあとも、テキサス州は分離独立を求めて、アメリカ合衆国と敵対していたアメリカ連合国の主力として南北戦争を戦いますが、四年後には敗北を喫します。

カウボーイに代表されるテキサス人は、牛追いによって首回りが日焼けしていることから「レッドネック（Redneck）」の蔑称で呼ばれることがありますが、ボロは着てても、心は錦。北部（連邦政府）に対する対抗意識はことのほか強く、「独立」から二世紀近くを経てもなお、一匹狼の矜持《きょうじ》をもちつづけています。

6－野球殿堂博物館◉クーパーズタウン（ニューヨーク州）

フレンドリーで大らかな国技の宝石箱

野球場は「遊び場」

真っ青に澄みわたる空に、目に滲みる緑の天然芝。日本とは比べものにならないほど客席数があるにもかかわらず、日本特有の〝鳴り物〟がないため、「カーンッ！」といった快音がクリアに耳の奥まで飛びこんでくる。打球はぐいぐいと速度を増し、超満員のバックスタンドへと吸いこまれていく。それが米国では「ボールパーク（Ballpark）」と呼ばれる野球場のイメージです。どちらかといえば「遊び場」。かつて日が暮れるまで白球をひたすら追いつづけた少年時代を思い起こさせる、懐かしい空気感がボールパークには満ちあふれています。

全米各地のボールパークを巡りましたが、どこも個性豊か。ふたつとして同じデザインはありません。几帳面な日本人には耐えられませんが、左右非対称は当たり前。誰も気にかけもしない。

ボストン・レッドソックスの本拠地で一九一二年にオープンした全米最古のフェンウェイ・パークは、ホームベースからレフトスタンドまでの距離が約九四・五メートルと短いため、ホームランが量産されないようにグリーン・モンスターと称される高さ約十一・三メートルの巨大なフェンスが設置されています。

日本人の感覚であればスタンドそのものを改修すればいい、となるのでしょうが、そこはベースボール。そもそもボールパークは市街地の狭い空き地に作られた、といった歴史を何よりも尊重します。異質なものは「個性」として受け入れる。米国人は時折、過剰とも思えるほどオリジナリティに固執します。

野球映画の名作『フィールド・オブ・ドリームス』

「それを作れば、彼はやってくる（If you build it, he will come.）」

ベースボールファンにとっては、心に焼きついて離れないフレーズでしょう。米映画『フィールド・オブ・ドリームス』（一九八九年）で、ケヴィン・コスナー演じる主人公のレイ・キンセラが、丹精込めて開墾したトウモロコシ畑を見回っていた折に、ふと耳にする天の声です。

それからというもの彼は、まるで何かにとりつかれたかのように生活の糧である農地を一心不乱に掘り起こし、たったひとりで整地し、ベースボール・フィールドを作りあげます。

ようやく完成したダイヤモンドにある晩、ユニフォーム姿の人影が現れます。それはメジャーリーグ（ＭＬＢ）を襲った一大スキャンダル、一九一九年のワールドシリーズを巡る八百長事件で球界から永久追放されたシカゴ・ホワイトソックスの強打者〝シューレス〟ジョー・ジャクソンでした。彼はとうの昔に亡くなっているはずなのですが（一九五一年没）、生き甲斐であったベースボールを取り上げられてしまった彼の亡霊はレイに尋ねます。

「ここは天国かい？」

「いや、アイオワさ」

アイオワ州ダイアーズビル。人口四〇〇〇人あまりの小さな村を舞台に物語は展開し、やがてレイは再び、天の声を聞きます。

「彼の痛みを癒やしてやれ（Ease his pain.）」。それまでは、「最後までやり遂げろ（Go the distance.）」

やがてレイは、親子の確執から疎遠なまま亡くなってしまった父親と、フィールド上で再会を果たします。父親はもうこの世にはいない。そんないまだからこそ、レイは素直に声をかけることができました。

「父さん、キャッチボールしようか？（Hey dad .....you wanna have a catch?）」

ベースボールの歴史

ベースボールは、米国の「国技」といわれています。英語ではナショナル・パスタイム(national pastime)。かしこまった「国技」ではなく、それこそLLサイズのハンバーガーを冷えたコーラで流しこみながら、お気に入りの選手の一挙手一投足に歓声を上げる「自由時間」、米国ならではの肩肘張らないフレンドリーな表現です。観客動員数ではいまやアメリカンフットボールの後塵を拝しているとはいえ、ベースボールは米国人にとって旧き良き時代を思い起こさせる国民的スポーツといっていいでしょう。

明治初期に米国からベースボールを学んだ日本人としては、ベースボールといえば米国といったイメージを抱きますが、元を正せば英国発祥の球技でした。女性や子どもたちが楽しんでいたラウンダーズ(rounders)といった遊びが米国に渡り、タウンボールと名を変え、タウン・ミーティングと称される村の寄り合いの余興として親しまれていました。球を打って楽しむといったきわめて単純な球技です。そのため、投手は下手投げでバッターが打ちやすい球を投げなければならず、バッターはアウトになるまで打ちつづけることができたといいます。

ベースボールと称されるようになったのは一八四五年のこと。ニューヨークの私設消防団にも、『ニッカーボッカー・ベースボール・クラブ』と称する社交クラブがあり、週末になるとタウンボールを楽しんでいました。ところが、それぞれの町村でルールが異なっていては対外試合が組めない。誰にでも楽しめるスポーツにするためにはどうすればよいか。こう考えた団員のアレキサンダー・カートライトが一八四五年に統一ルールを考案し、はじめて「ベースボール」の試合が催されました。この「ニッカーボッカー・ルール」が現在の野球規則のベースともなっています。

野球ファン必見の野球殿堂博物館

ダイアーズビルが夢の〝フィールド〟だとすれば、夢の〝宝石箱〟は野球殿堂博物館でしょう。ニューヨーク州クーパーズタウンに一九三九年に創設された同博物館のモットーは、「歴史を伝え、偉業を讃え、世代をつなぐ（Preserving History, Honoring Excellence, Connecting Generations）」。往年の名選手が着用したユニフォームやグラブ、歴史に残る名勝負のホームランボールや記念バットなど、野球ファンには垂涎《すいぜん》の的の品々が所狭しと展示されています（ロサンゼルス・エンゼルス・アナハイムに所属する大谷翔平《おおたにしょうへい》選手も、二〇二一年のオールスター戦に史上はじめて投打の〝二刀流〟として出場した際に着用していたスパイクなど三点の用具を同博物館に寄贈。そのほか、MLBの記録を破る歴史的瞬間に身につけていた用具も数度にわたり寄贈され、永久保存されています）。

わが国にも野球殿堂博物館が設けられていますが（一九五九年に後楽園の隣に開館、一九八八年に東京ドーム内に移転）、その圧倒的なコレクションの量と質は比べようもなく、つくづく米国ではベースボールが文化として定着している様を思い知らされます（日本初の専門書『野球』が中馬庚《ちゅうまかのえ》によって刊行されたのが一八九七年。ニッカーボッカー・ルールの制定から半世紀ほど経たあとのことでした）。

また、一九三六年に始まった全米野球記者協会（ＢＢＷＡＡ）に属する記者たちによる投票で選ばれ、野球殿堂入りを果たした名選手たちのレリーフもズラリと飾られています。ここでは選手や監督だけではなく、審判員やベースボール・カルチャーの普及に貢献した三三三名がこれまで表彰されています（二〇二〇年現在）。ちなみに初年度に殿堂入りを果たした選手は〝野球の神様〟ベーブ・ルースやＭＬＢ史上唯一打撃部門の全タイトルを制覇したタイ・カッブら五名でした。

九年連続首位打者に輝いたデトロイト・タイガースの主力打者カッブを、詩人のオグデン・ナッシュはその詩集『ラインナップ・フォー・イエスタデイ：ベースボールの偉人たちのＡＢＣ』（一九四九年）のなかで、「彼はトウモロコシではなく麦穂（スパイク）を育てた／内野手の誰もがそれが生まれてこなければよかったのにと望んだ（Who grew spikes and not corn, /And made all the basemen/ Wish they weren't born.）」と綴り、彼の偉業を讃えています。

カッブは生来の天才肌。いまだ破られていないＭＬＢ最高の生涯通算打率三割六分四厘を誇り（四割超えを三シーズン記録）、けんかっ早い性格にもかかわらず〝球聖〟と謳われました。一方、『フィールド・オブ・ドリームス』にも登場したジョー・ジャクソンは、極貧家庭に育ったため十分な教育を受けられず、読み書きも満足にはできなかったといいます。

一九一九年にジャクソンはシーズン通算打率三割五分一厘といった好成績を収めますが、カッブが三割八分四厘といった驚異的な数字でアメリカン・リーグの首位打者を獲得。同時期に活躍したふたりでしたが、ジャクソンはカッブを超えることは遂になく、一度も首位打者を獲《と》ることはありませんでした。

後年、故郷のサウスカロライナ州グリーンビルに戻ったジャクソンは、小さな酒屋を営んでいました。引退したカッブとスポーツライターのグラントランド・ライスが連れだって同店を訪れましたが、ジャクソンは一向に気づく気配がありません。短気なカッブはたまらず支払いの際に声をかけます。

「俺のことを知っているかい、ジョー？」

「もちろんさ。君がいることはわかっていたけれども、君が私のことを知りたいと思っているかどうかわからなかった。多くの人が私に話しかけようとはしないからね」

毎年、夏になると野球殿堂博物館にほど近いクラーク・スポーツ・センターの特設ステージで、その年に殿堂入りを果たした選手たちの表彰式「ホール・オブ・フェイム・イントロダクション・セレモニー」が華々しく開催され、全米の注目を集めます。同館に名を連ねることは、選手にとっても最大の栄誉として受け止められています。

ただ、球界から永久追放されたジョー・ジャクソンと、ＭＬＢ最多出場記録と最多安打記録四七六九本を持ちながらも、シンシナティ・レッズの監督在任中に自チームの野球賭博に手を染めたため永久失格処分を受けたピート・ローズは、殿堂入りに値する卓越した成績を収めながらも、いまだに顕彰されていません。

クーパーズタウンでは高齢の男性が孫の手を取り、いまや伝説となった地元チームのヒーローの活躍ぶりを身振り手振りで語って聞かせる姿にしばしば出くわします。子どもたちの憧れの存在である選手たちは、清廉潔白でなければならない。それが「国技」の宿命です。

二〇二一年夏、映画のロケ地となったダイアーズビルのレイが作ったとされるダイヤモンドに八〇〇〇人収容の観客席が設けられ、ＭＬＢの公式戦がはじめて開催されました（シカゴ・ホワイトソックス対ニューヨーク・ヤンキース）。ジャクソンとローズにとって、ここが本当に「天国なのか？」どうかは、神のみぞ知るということでしょう。

7－ゴールドラッシュ◉サクラメント（カリフォルニア州）
夢は西海岸に眠る！　黄金郷を目指し大陸を大横断

カナダのゴールドラッシュに身を投じたジャック・ロンドン

「世界にどう見られようが俺には関係ない。俺は、俺が描く自分の姿を全うするだけだ」

と、のちに捨て台詞《ぜりふ》を吐いたその男は、二一歳で故郷を旅立ちました。やがて、ホーボー(Hobo）またはトランプ（Tramp）といった呼び名で蔑《さげす》まれ、一宿一飯の放浪者になりはてます。ちなみにドナルド・トランプ前大統領の姓の綴りは、一文字違いの〝Trump〟。皮肉なことにもホームレスとは真逆の〝切り札〟という意味になります。

「手前、生国はカリフォルニア州のサンフランシスコでござんす。姓はロンドン、名はジャック。しがない駆けだしもんでござんす」

と、言ったか言わずか。とにもかくにも身一つで流浪の旅に出たジャック・ロンドンは、極北の動物たちを描いた名作『野性の呼び声』や『白牙《しろきば》』で知られる希代の小説家です。

彼の父親ウィリアム・チェイニーはアイルランド系米国人の占星術師で、三三歳も年下のフローラ・ウェルマンをたらしこみ、妊娠させてしまいます。自らの落ち度にもかかわらず、これを知ったチェイニーは激怒し、彼女を捨ててしまったため、失意のどん底に落とされたフローラは自殺未遂。修羅場の真っ只中に私生児として生を受けたのがジャックでした（出生名はジョン・グリフィス・チェイニー）。

その後、フローラは再婚しますが、事もあろうに心霊術に嵌まってしまう。チャネラーとなってはみたものの、神の啓示は受けられなかったようで、極貧生活に突き落とされてしまいました。

ジャックは家計を助けるため、幼い頃から織物工場や缶詰工場で一日十三時間以上も働きつづけ、ときには牡蠣《かき》養殖場の密漁にも加わりながら次第に社会主義に傾倒し、マテリアリズム（唯物主義）の信者となります。つまりは「同情するなら金をくれ！」というわけです。

スピリチュアル系の母親に対する嫌悪感が、彼を路上のリアリストへと育てあげました。

『ヘイノルドの最初で最後のチャンス（Heinold's First and Last Chance Saloon）』という、これまた意味深長な飲み屋にたむろっていたロンドンが、何年も音信不通だった実父に連絡を取ったところ、

「俺はインポテンツだからな。お前のことなんか知るもんか」

とあざ笑われたことから、彼は家を捨て、カナダ・ユーコン準州のクロンダイクへと向かいます（チェイニーは生涯、ロンドンを認知することはありませんでした）。

米国を沸かせた黄金郷の夢

十九世紀半ば、米西海岸はゴールドラッシュに沸きかえっていました。一八四八年一月二四日にサクラメント近郊のアメリカン川沿いのコロマで、製材所を建築していたジェームズ・マーシャルが偶然にも金の粒を見つけたことから、一攫千金《いっかくせんきん》を夢見る人々が全米からカリフォルニアに押しよせたのです。

じつは、当時のカリフォルニアは、まだメキシコの領土（アルタ・カリフォルニア）。アメリカ＝メキシコ戦争を経て米国がカリフォルニアを含む広大なエリアを割譲、あるいは奪取したのちに結ばれたグアダルーペ・イダルゴ条約の締結日は、なんとマーシャルが金を見つけたわずか九日後にあたる、一八四八年二月二日のことでした。

一八五〇年に西部でははじめて州に昇格したカリフォルニアの人口は、ゴールドラッシュ前には八〇〇〇人程度でしたが、一八五五年までには少なくとも三〇万人もの人々が殺到しています。多くの人々が、東部や南米から帆船に乗り、パナマ地峡を横切るか南米大陸をぐるりと回る方法で、半年以上もかけてサンフランシスコに辿《たど》りつきました。当然のことながら、船が難破したり疫病によって命を落とした人々も数知れず。それこそ家財道具一式を売りはらい、選鉱鍋ひとつ抱えて見果てぬ夢に賭けた冒険者たちでした。

同地をホームとするアメリカンフットボールの名門プロチーム、フォーティナイナーズは、

ムの本家本元、米国らしいところです。

ゴールドラッシュ時の様子を描いた切手

鉱山師が急増した年にちなんで命名されています。なぜあえて「四九年」としたのか。言うまでもなく、マーシャルが金を発見した日付を起点にすれば、「アメリカン・ドリーム」ではなくなってしまうからです。

その後もコロラド州やサウスダコタ州で立てつづけに金鉱が発見され、不毛の土地であった米西部は、スペイン語で黄金郷を意味する〝エル・ドラード〟へと変貌を遂げていきます。

こうした民族大移動に呼応して、六九年には連邦政府の肝いりでユニオン・パシフック鉄道とセントラル・パシフィック鉄道が設立され、大陸を横断する鉄道が開通します。人々の飽くなき欲望が、西部開拓を後押ししたところが、いかにもマテリアリズ

西部開拓、ゴールドラッシュ、プロテスタントの「予定説」

米国の西部開拓は、マニフェスト＝デスティニー（Manifest Destiny）と称されます。「明白な使命」といったなんとも芸のない直訳が用いられていますが、要は、文明は神の意志によって欧州から米国の東海岸へと渡り、西へ、西へと伝播《でんぱ》する、といった米国固有の文明史観です。西海岸の突端にまで到達した文明の使者たちは、やがて太平洋を渡り、未開の地アジアにまで足を延ばすこととなります。

この時代は〝鉄道王〟といわれたコーネリアス・ヴァンダービルトや、産業革命の波に乗り〝鉄鋼王〟と讃えられたアンドリュー・カーネギーなどの億万長者が次々と輩出しています。ジーンズを発明したリーバイ・ストラウスもゴールドラッシュで大儲けをしたひとりです。丈夫な作業着の需要があると踏んだ彼は、テントや船の帆に使われていたキャンバス生地を用いて伝説の「リーバイス５０１」を作り、大ヒットを飛ばします。

こうした成功者の登場が、西部開拓への意欲をさらに掻き立てました。その背景には、プロテスタント特有の「予定説」があります。カトリック教徒の場合は、少々乱暴な言い方をすれば、教会に寄進していれば誰でも天国へ行けると信じられていました。

一方、プロテスタントは、神に救われる人間はあらかじめ決められていて、いくら善行を積もうが現世の行いはまったく関係がない、とされています。しかも、生きている間は自分が選ばれた人間かどうかはわからない。

いやはやなんとも身も蓋もない教義です。それならば額に汗してあくせく働かず、快楽に身を任せれていればいいじゃないか、と思いがちですが、ところがどっこい全能の神はそれほど甘くはない。神に救われるような「選ばれし人」は、神から使命を与えられているだけに禁欲的で、まじめに働き、職業という「天命」を全うしているに違いない、と宗教改革の指導者ジャン・カルヴァンは説いたわけです。

これに呼応したのが社会・経済学者のマックス・ヴェーバーで、この「予定説」が資本主義を発達させ、米国を成功に導いた源であると主張しました。〝石油王〟ジョン・ロックフェラーをはじめとする成功者たちは、欲にまみれた我利我利亡者《がりがりもうじゃ》では決してなく、全能の神に「選ばれし人々」だと（米国の億万長者たちがこぞって寄付、いわゆる貧者への施しに熱心なのも、こうした神学思想に基づいています）。こうなると、信心深い米国人たるもの、金儲けに走るしかありません。猫も杓子も西部を目指しました。

さて、ロンドンが家を出た一八九七年には、カリフォルニアのゴールドラッシュはあらかた終焉を迎えていました。出遅れてしまった彼は、アラスカを目指します。ところがこの北端の地は極寒なうえに地形も峻険で、多くの鉱山師が発掘を断念。ロンドンもほんのひと握りの砂金を手に、早くも翌年には失意の帰郷を余儀なくされます。

しかしながら人生、何が功を奏するかわかりません。ゴールドラッシュの間に彼は唯一残された財産を使い、“sell his brains”つまり小説で身を立てる決意をします。放浪生活の経験や出会った人々を描くことで、一九〇三年、傑作の誉れ高い『野性の呼び声』を上梓し、一躍ベストセラー作家の仲間入りを果たします。

ゴールドラッシュで、結果的に巨万の富を得た人間はほんのひと握りしかいなかったといいます。ロンドンはこうも言い残しています。

「人生においては、必ずしもいい手札がまわってくるとは限らない。ときには、悪い手札でもうまくやりくりしなければならない」

と。

8 ― ブラック・ヒルズ◉サウスダコタ州、ワイオミング州

WASPに踏みにじられたスー族の聖地

北米大陸の先住民たち

米国には、先住民族の言葉を起源とする地名が数多くあります。マサチューセッツはワンパノアグ族の言葉で「大きな丘のある場所」を意味し、ケンタッキーはイロコイ語で「野原」。ノースダコタとサウスダコタのダコタは、スー語で「仲間」という意味になります。全米五〇州のうち、じつに半数以上の名称は先住民族が使っていた言葉から取られています。

また地名のみならず、私たちにも身近なチョコレートやアボカド（ナワトル語）、バーベキュー、ポテト（タイノ語）なども、先住民族の言葉から派生したといわれています。クイーンズ・イングリッシュが変化したアメリカン・イングリッシュの歴史はさほど古くはありませんが、興味深いことに北米大陸で生まれた新たな固有名詞や単語の多くが先住民族の言葉から流用されています。

クリストファー・コロンブスがヨーロッパ人にとっての〝新大陸〟を発見した一四九二年

以前から、米大陸には三〇〇以上の言語を話す二〇〇万～一二〇〇万人の先住民が暮らしていました。狩猟のほかにトウモロコシやカボチャが栽培され、タバコは聖なるものとして神事に用いられ、争い事を好まない彼らは平穏無事な日々を送っていました。

二ヵ月かけて大西洋を渡ってきたホワイト・アングロ＝サクソン・プロテスタント（WASP《ワスプ》：ヨーロッパから移住してきたアングロサクソン系プロテスタントのこと）との大きな違いは、先住民には土地を所有するといった概念がなかったことです。神から与えられた大地は皆の共有物と考えられていました。また、がんじがらめの封建社会から逃れてきたWASPたちは、当然のことながら、部族は首長を頂点とするピラミッド型のヒエラルキーに縛られていると考えていました。ところが、先住民にはそもそも社会階層といった考えがなく、彼らはあらゆる事柄を合議制で決める、きわめて民主的な生活を営んでいました。「人は見かけによらない」の言葉通り、ある意味、先住民族の思想のほうがはるかに先進的であったといえるでしょう。こうした無理解から生じた文化衝突が、のちのち凄惨な悲劇を引き起こすこととなります。

先住民と入植者、つかの間の友好関係

ピルグリム・ファーザーズと称される清教徒たちが英国からメイフラワー号に乗り、一六二〇年にマサチューセッツ州プリマスに到着した当初、先住民との関係はきわめて友好的だ

ったといいます。

新天地での耕作は決して生やさしいものではなく、はじめての冬を越えることができずに多くの餓死者が出ました。このとき、手を差し伸べてくれたのがワンパノアグ族でした。彼らが惜しみなく食物を分けあたえ、トウモロコシの栽培方法も教えてくれたおかげで、入植者たちはなんとか生きのびることができました。感謝の気持ちを表すため、翌年の収穫期に彼らを招いて三日間にわたり宴会を催したのが、サンクスギビング（感謝祭）のはじまりです。

十一月の第四木曜日には、いまでもホワイトハウスで大統領が二羽の七面鳥に恩赦を与える恒例の儀式が行われています。ドナルド・トランプ前大統領は、既存の大統領令をいくつも覆しましたが、「いかなる理由があろうとも、七面鳥の恩赦を撤回してはならない」と、法律顧問に釘を刺したといいます。

しかしながら、こうした先住民と入植者の蜜月は長くは続きませんでした。英国人とともに黒死病（ペスト）や天然痘、コレラなどの病気も海をわたり、それによって多くの先住民は死に追いやられます。さらには、先住民が土地所有の概念がないのをいいことに、入植者たちは土地を奪い、抵抗する首長は毒殺し、四〇〇〇人以上の部族民を虐殺または奴隷化し、ワンパノアグ族を壊滅状態にまで追いこみました。恩を仇で返すとは、まさにこのことです。西部開拓は、先住民族を殲滅《せんめつ》する血塗られた歴史でもあったわけです。

ピルグリム・ファーザーズは、先住民を「インディアン（インディオ）」と呼んでいました。これはカリブ諸島に辿《たど》りついたコロンブスが、インド周辺の島々に漂着したものと誤認したことに起因しています。そのため現在は、「インディアン」は差別用語とされ、かわりに「ネイティブ・アメリカン」が用いられています。

ところが、「アメリカン」となればアラスカ州の先住民族イヌイットや太平洋の島々に住むハワイ人やサモア人、ミクロネシア諸族も含むこととなります。何よりも「インディアン」といった呼称に誇りをもつ先住民が多い。あとからやってきながら、命と土地を奪ったうえに、インド系米国人との区別が難しいといった文化人類学者たちの都合により、名称もころころ変えられる。盗っ人猛々しいとはこのことです。そのため本稿では、あえて「ネイティブ」・インディアンと書きあらわします。

入植者たちが西へ、西へとフロンティアを拡大していく過程で、先住民は「よいインディアン」と「悪いインディアン」とに仕分けされていきます。「よいインディアン」とは、キリスト教に改宗し、ＷＡＳＰに従順な部族。「悪いインディアン」は、ＷＡＳＰに刃向かう〝野蛮人〟です。米陸軍の将軍であったフィリップ・ヘンリー・シェリダンは、「よいインディアンは死んでいるインディアンだけだ」とまで言いきったと伝えられています。

「よいインディアン」の典型は、ディズニーアニメ『ポカホンタス』のヒロインでしょう。

彼女はＷＡＳＰの恋人とともにポウハタン族と入植者たちの和解に奔走します。一方、「悪いインディアン」の代表格はといえば、米政府に牙を剝き、捨て身の闘いを挑んだラコタ族ということになります。

ところで西部劇の影響で、米国はインディアンから土地を力まかせに強奪した、といったイメージがありますが、実際のところは各部族を「独立国家」として認め、条約締結によって土地を略奪してきた歴史があります。要は、米国の定める居留地（リザベーション）と引き換えに先祖伝来の土地を譲れば、米国の保護下で自治権は与えてやる。つべこべ言わずに「米国内の従属的国家」になれ、という絵に描いたような不平等条約です。こうした米国の〝野蛮〟なやり方に敢然と立ち向かったのが、ラコタ族やダコタ族、ナコタ族といった部族の連合体であるスー族でした。

スー族とＷＡＳＰの戦い

サウスダコタ州は、米中西部に広がる大平原（グレート・プレーンズ）に位置しています。州南西部には、ブラック・ヒルズと呼ばれる低木の松で覆われた石灰岩の岩山が連なり、ここでは米国の雄大な自然を間近に体感することができます。

狩猟民族であったスー族が、居留地政策によって定住生活を余儀なくされ、この地に移ってきたのは十九世紀末のことでした。彼らは昔からここをパハ・サバ（黒い丘）と名づけ、偉大なる精霊が宿る聖地と定めていました。ブラック・ヒルズはスー族にとって、約一万年前に祖先であるプテ（Pte）が、その洞窟で生まれたとされる母なる大地だったのです。

勇猛果敢なスー族とシャイアン族、アラパホー族の連合軍は、ワイオミング・モンタナ準州で米陸軍と戦い、これを撃破し、ララミー砦条約（一八六八年）の締結に漕ぎつけます。この条約で米国は、ブラック・ヒルズは「永遠にスー族のもので、狩猟の場であり、入植者の立ち入りを禁ずる」と承認しました。

ところが一八七四年、不毛の地と見なされていたブラック・ヒルズで、第七騎兵隊の連隊長であったジョージ・アームストロング・カスター中佐が、年五〇〇万ドル以上の産金が期待できる大鉱脈を発見します。こうなると黄金に目がくらんだ米政府は手の平を返します。舌の根も乾かぬうちに、押しよせる山師から守るためといった口実をつけて陸軍を派遣しました。

これを迎え撃った英雄クレイジー・ホースらインディアンの連合軍は一八七六年六月、リトルビッグホーンの戦いでカスター中佐率いる第七騎兵隊を全滅させますが、兵力で勝る陸軍はやがて劣勢を挽回。翌春までにインディアンは居留地に連れ戻され、武器と馬を取り上げられ、降伏せざるを得ませんでした。

九〇年には、スー族の反乱を恐れた第七騎兵隊がウーンデッド・ニーで、非戦闘員である女性や子どもを含む少なくとも二〇〇人のインディアンを虐殺するといった悲惨な事件が起こりました。米国にとってこの年は、フロンティアの消滅を意味しますが、先住民族にとっては米国の非道に屈した屈辱の年として記憶されています。

いまなお続く土地返還闘争

現在のブラック・ヒルズは、バッドランズ国立公園やカスター州立公園に囲まれたのどかな観光スポットとなっています。しかしながら、スー族の土地返還闘争に終わりはありません。

ほのかな明かりは、一九七〇年にリチャード・ニクソン大統領が、ニューメキシコ州のカーソン国有林にある分水界の保護を規定した法律に署名したことでした。これによりタオス族の聖地であるブルー・レイクとその周辺の高山を含む土地は部族に返還されました。ネイティブ・インディアンのこうむった損失に対する賠償金ではなく、ネイティブ・インディアンの聖地である土地の返還はこれがはじめての快挙でした。

ブラック・ヒルズについても八〇年に、最高裁判所は米国によるブラック・ヒルズの収用は憲法違反であり、もっとも長期にわたった不名誉な処理だと政府を厳しく断罪し、スー族に対して一億五〇〇〇万ドルの損害賠償を命じています。しかしながら誇り高きスー族の末裔《まつえい》たちはこれら賠償金の受け取りを一切拒否。聖霊が宿り、先祖たちの骨が埋まっている聖地の返還を求めて、戦いを続けています。

ブラック・ヒルズのラシュモア山の壁面には、初代大統領ジョージ・ワシントンら四人の顔が刻まれています。そこから二七キロ離れた岩山には戦士クレイジー・ホースの巨大な彫像が彫られています。スー族のヘンリー・スタンディング・ベアが彫刻家のコルチャック・ジオルコウスキーに一九四七年に依頼したもので、ジオルコウスキー亡きあとも制作は続けられ、九八年に顔の部分ができあがりました。完成すれば高さ一六九メートルという世界最大の彫像になる見込みですが、果たしてそのときまでに、ブラック・ヒルズはスー族の手に戻っているのでしょうか。

ラシュモア山の岩壁に彫られた大統領の顔

9―ウォール街◉マンハッタン（ニューヨーク州）

世界一の金融街、昔は巨大奴隷市場

ウォール街の由来となった「壁《ウォール》」

インターネットからの不正侵入を防ぎ、外部からの攻撃を阻止するファイヤーウォールは、いまやセキュリティ対策の基本となっています。インターネット黎明期には、受信したデータをルーターで識別して制御するパケットフィルタリングが主流でしたが、一九九〇年代にハードウェア型ファイヤーウォールが、二〇〇〇年代に入ると統合脅威管理（ＵＴＭ）が登場し、格段にセキュリティ・レベルが向上しました。

ニューヨークのウォール街にもその名の通り、かつては外壁が存在していました。時価総額約三〇〇〇兆円を誇り、世界でもっとも競争力の高いビッグ・ボード（Big Board）と呼ばれる金融センター「ニューヨーク証券取引所（ＮＹＳＥ）」を名うてのハッカーたちから防御するため――ではまったくなく、外敵から入植者を守るために建てられた、高さ二・七メートル、長さ七一〇メートルたらずの素朴な板塀でした。

人口約一九三〇万人のニューヨーク州。なかでもマンハッタン島は、世界最大の都市として知られていますが、先住民族の居住期間をのぞけば、たかだか四〇〇年の歴史しかありません。

ニューヨークを発見したのはイタリア人の探検家ジョバンニ・ダ・ヴェラッツァーノでしたが（一五二四年）、最初にこの地に入植したのはネーデルランド連邦共和国（現オランダ王国）のわずか三〇世帯でした。西インド会社が一六一四年にアッパー・ニューヨーク湾に浮かぶ現在のガバナーズ島へ送りこんだ開拓民です。

当時、同国はチューリップの球根が高騰したことから、未曾有《みぞう》のバブル経済期を迎え、七つの海を制覇するほどの海上帝国として君臨していました。彼らはマンハッタン島を母国の首都になぞらえ「ニューアムステルダム」と名づけます。

ウォール街は当時、オランダ語でディ・ウォルストラート（de Waalstraat）と呼ばれており、一六五三年にオランダ人の入植地の北側に塀が築かれました。目的は、先住民族であったレナペ族やニューイングランドなどに入植した英国人からオランダ人を守るためでした。

ところがなんのことはない、六四年に英軍が無防備であった南の海側から攻め入ると、ペーテル・ストイフェサント総督は抵抗することなく白旗を掲げ、あっけなく降伏してしまいます。

これを受けて地名も、のちに英国王ジェームズ二世となるヨーク公爵にちなんで「ニューヨーク」に変えられてしまいました（ちなみにニューヨーク州の州都はニューヨーク市ではなくオールバニー市で、こちらの名称は初代オールバニー公爵レオポルドに由来しています）。英軍は九九年に塀を撤去しますが、その跡地が現在のウォール街となったわけです。

奴隷貿易の興隆

ところで、情報が命の金融トレーダーであっても、十七世紀に北米大陸最大の奴隷市場がこの一画にあったことを知る人は少ないでしょう。アフリカ大陸から強制的に連れてこられた奴隷たちは、西インド会社の労働力として酷使され、ウォール街の語源ともなった塀の建設にも携わっていました。

奴隷貿易の元締めが英国の王立アフリカ会社に移ると、西アフリカ海岸では首長の「資産」であった奴隷たちは、「動産」として扱われるようになります。同社は一六八〇年からの八八年間で約二五〇〇回の奴隷航海を行い、約六万人を船積みしたといわれています（大半の奴隷たちはブラジルやカリブ海諸国に送られました）。この間、奴隷という「商品」を巡って英国、スペイン帝国（現スペイン王国）、ポルトガル王国（現ポルトガル共和国）、フランス王国（現フランス共和国）といった欧州の列強たちは醜い争いをくり広げました。

ニューヨークではこうした取引拡大を踏まえて、一六六五年に奴隷制度を公認する法律を制定します。さらには一七一一年、ニューヨーク市議会が、ウォール街を市の公式な奴隷市場とする法律も可決しています。つまりウォール街は、いまは世界経済を牽引する巨大取引市場として大手を振って歩いていますが、そもそもは奴隷売買といった血塗られた歴史から始まっているのです。

こうした奴隷貿易の活況により、独立直後の九〇年に行われた第一回国勢調査によれば、ニューヨーク市の人口三万三一三一人のうち、アフリカ人は三二六二人（奴隷は二一八四人）だったといいます（全植民地の総人口は三九三万人で、そのうち、アフリカ人奴隷は七〇万人といった高率でした）。奴隷たちはウォール街でまるで家畜のように焼印を押され（焼印は、英語では〝ブランディング〟といいます）、穀物と同じように競りにかけられ（十八世紀はじめには一人十三ポンド半で売られていた奴隷の価格は、十八世紀後半になると五〇ポンドにまで跳ねあがっています）、各地のプランテーションへと売られていきました。法律上の奴隷制度は一八六五年に、憲法修正第十三条が制定されるまで続くこととなります。

金融街としての歩み

米国で開設された証券取引所は、一七九〇年に米国の首都となったフィラデルフィアにおいてがはじめてでした。ニューヨークでも一日に二回ほど貿易商や問屋などがコーヒーハウスに集まり立ち会いが行われていましたが、九二年五月に二四人の株式仲買人が集まり「すずかけ協定」という約束事を決め、組合を結成します。

この協定の名は、ウォール街の外に立っていたすずかけの木の下で署名されたことに由来しているのですが、当時取引されていたのは連邦債や特許を得た銀行、保険会社の株式に限られており、なんとものんきな寄り合いだったことがうかがわれます。

一八一七年になって、二八人のブローカーが組織憲章を起草し、取引会所を設立（当時の名称はNew York Stock & Exchange Board）。これが現在のＮＹＳＥの前身となります。それでも上場していたのは連邦債や州債のほかには銀行や保険会社二九銘柄のみで、さほど活況を呈していたわけではありません。

ウォール街が金融の中心地としての地位を築いたのは、十九世紀半ば。鉄道建設ブームにより鉄道株や債券の発行が増加し、南北戦争時には大量の国債が発行され、投機家が買い占めや価格操作を行い、莫大な利益を上げるようになってからのことです。

一八八〇年代に入ると、企業の集中・合弁が活発化し、スタンダード石油やＵＳスチールなど巨大な独占企業が誕生し、第一次世界大戦前までには工業株が四分の一を占めるようになります。この大戦までに米国は三〇億ドルを超える債務超過に陥っていましたが（一九一四年）、戦争特需によって三年後には五〇億ドルの債権国に変貌します。戦時国債も五回にわたって発行され、一般庶民も株式投資に興味をもちはじめると好景気に後押しされて、二九年の世界大恐慌に至るまでは未曾有の狂瀾《きょうらん》相場となりました。

第二次世界大戦は再び米国に特需を呼びこみ、世界一の経済大国の地位を確固たるものとします。五〇年代以降は機関投資家の比重が増大し、おもにバイ・アンド・ホールド（買い持ち）による運用で、比較的堅実な株式投資パフォーマンスが続きました。

世界一の金融街、ウォール街。かつての奴隷市場の面影はもうない

ところが九〇年代に入ると、インターネットの発達によりEコマースの将来性が喧伝されたこともあり、株価は高騰を続け、二〇〇〇年四月にはITバブルの崩壊を招きます。私たちにも身近な、いわゆるカジノ的資本主義の到来です。

現在では、米株価指数への連動を目指す投資信託、インデックスファンドが主流となっています。また、銀行やヘッジファンドとは異なる、独立系の個人投資家集団による高性能コンピューターと人工知能（AI）を駆使したハイ・フリークエンシー・トレーディング（高頻度取引）も莫大な利益を上げています。証券取引所で、身振り手振りで売買処理を行っていた場立ちはもはや遠い昔の話。取引は、スーパーコンピューターが一〇〇分の一秒以下のスピードで行うサイバー空間となっています。

一方、わが国では年金積立金管理運用独立行政法人（ＧＰＩＦ）が一四年に資産運用割合を変更し、大量の年金資金を株式市場に投入。日本銀行も上場投資信託（ＥＴＦ）の購入を増やしつづけ、二〇年五月段階の保有額は三一兆円を超えています（時価ベース）。つまり日本銀行は、東証一部全体の約六％の株を保有している計算になり、かつての護送船団方式のように株の大暴落に対する〝壁〟を作ろうとしています。

これが、押せば倒れる脆弱な板塀なのか、予想外の攻撃によって戦わずして降参せざるを得ない無駄な方策なのか。審判の日は、刻一刻と近づいています。

10－ゲティスバーグ国立軍事公園◉ゲティスバーグ（ペンシルヴェニア州）
経済へのアプローチの違いが生んだ南北の大戦争

くり返す米国内の「分断」

米国では、アフリカ系米国人に対する差別に抗議するBlack Lives Matter《ブラック ライブズ マター》（BLM）ムーブメントが巻き起こり、燎原《りょうげん》の火のごとく広がりました。このBLMといったスローガンは、なにも最近作られたものではなく、すでに二〇一三年にはSNS上で生まれていました。

その前年の二月二六日夜半に、フロリダ州サンフォードに住む当時十七歳だったアフリカ系米国人トレイボン・マーティンが、丸腰であったにもかかわらず自警団のコーディネーターだったジョージ・ジマーマンに射殺されるといった悲惨な事件が起こります。

被害者が青少年だったこともあり、アフリカ系米国人と見れば犯罪者扱いする風潮に全米から抗議の声が上がりましたが、一三年七月十三日にジマーマンの正当防衛が認められ、無罪判決が下されます。これに怒りを覚えたアフリカ系米国人の女流作家アリシア・ガーザがフェイスブックに、

「私はブラック・ピープルを愛しています。私たちを愛しています。私たちは尊重されるべき。私達の命は尊重されるべき。ブラック・ピープルの命は尊重されるべきです」

と投稿し、これに賛同した人権活動家のオパール・トメティとパトリス・カラーズが、#BlackLivesMatterというハッシュタグをつけて拡散したことから、人種差別に対する抗議活動に火がつきました。BLMは、いまや米国社会を「分断」するほどの勢いを見せています。

アメリカ合衆国VS.アメリカ連合国

こうした「分断」は、米国にとって珍しいことではありません。そもそもこの国は、ほんの一世紀半ほど前には南と北に分かれて戦っていました。「アメリカ合衆国」として現在の国家体制ができあがったのは、一八六五年に南北戦争が終結してからのことです。国を二分したこの戦いは、英語では市民戦争（Civil War）と表されるため、ともすれば内戦と捉えられがちですが、実際はアメリカ合衆国とアメリカ連合国（CSA）という、れっきとした国家同士の戦いでした。

戦争のおもな原因は、奴隷制度を引きつづき認めるかどうかでした。BLMにつながる米国の根源的な病巣がここでも顔を覗かせます。英国から独立後、米国には南北で二つのシステムが併存することとなります。ひとつは広大な農地を擁するプランテーションの経営者らを中心とした奴隷制度擁護派です。英国が産業革命によって綿繰《わたく》り機《き》を発明したことで綿花の需要が増大。これに対応するため労働力としての奴隷を必要としていた南部の十一州でした。

もう一方は、英国がフランスと戦争状態になり海上封鎖に踏みきったため、工業製品が入らなくなったことから、ニューイングランドを中心に繊維や造船といった工業を興し、自立的な産業革命を目指そうとする北部の二三州でした。

彼らは、単なる人道主義者というわけではなく、奴隷たちを解放することによって安価な労働力を獲得するとともに工業製品の消費者も増やす、といった怜悧な計算を働かせていました。戦争や平和、人間にまつわるあらゆる事象は、経済を中心に引き起こされます。

簡単にいえば、「ここには豊かな土地があるので大規模農業で十分にやっていける」と主張する南部の富裕層と、「いやいや。この国も欧州に負けない近代国家にすべきだ」と考える都市のインテリ層との戦い。経済政策に対するアプローチの違いでした。

南北戦争の経過

興味深いことに、一般的にはリベラルといったイメージが強い民主党ですが、南北戦争当時は奴隷所有者たちの利権を守る政党と見られていました。これに対抗する形で一八五四年に誕生したのが共和党です。共和党は民主主義と近代的な資本主義を掲げて旗揚げし、一八六〇年十一月に共和党初の大統領エイブラハム・リンカーン（第十六代）が選出されると、双方の対立は決定的となります。

サウスカロライナ州やミシシッピ州、テキサス州など六州が早々と合衆国から離脱し、翌年二月八日にCSAを樹立します。リンカーンは就任演説で「CSAは法的に無効である」と宣言しますが、南部連合はどこ吹く風。陸軍士官学校を経てアメリカ＝メキシコ戦争ではミシシッピ州義勇軍を指揮した英雄ジェファソン・デイヴィスを大統領に据えると、すかさず奴隷制度を容認する憲法を制定します。そして四月十二日には南軍が、サウスカロライナ州チャールストンの沖に浮かぶ北軍のサムター要塞に先制攻撃を仕掛け、戦いの火ぶたが切って落とされました。

当初は、勇猛果敢なロバート・E・リー将軍が指揮する南軍が北軍を圧倒していましたが、やがて物量と経済力に勝る北軍がじわじわと挽回し、ペンシルヴェニア州ゲティスバーグの戦いで形勢を逆転させます。

CSAの首都リッチモンドに迫った北軍を撃退すべく、リー将軍は七万五〇〇〇の兵力を率いて一八六三年七月一日にゲティスバーグへ攻め入りますが、三日間の攻防の末、敗北を喫します。両軍合わせて約五万人の死傷者が出たともいわれる大激戦でした。

天下分け目の戦いといえば関ヶ原の合戦が思い起こされますが、徳川家康《とくがわいえやす》率いる東軍の勢力が九万六八〇〇、石田三成《いしだみつなり》の西軍は七万七六〇〇だったことを考えると、ほぼ同規模の戦闘だったことがわかります。ただ、ゲティスバーグの戦死者のほとんどが砲弾によるものだったように、南北戦争は近代戦のはじまりであったともいえるでしょう。

実際にゲティスバーグ国立軍事公園を訪れてみると、なんの変哲もない大草原が広がっています。まさに、夏草や兵《つわもの》どもが夢の跡。ところどころにモニュメントは立っているものの、あまりにも広大であるため、なかなか感情移入がしづらいロケーションです。もっとも古戦場なので、観光地とはいえども当時の様子を再現するわけにはいきません。北軍のジョージ・ミード司令官よりも、リー将軍にちなんだ土産物のほうがはるかに人気があるのはご愛敬でしょう。

リンカーンの名演説の裏話

北軍の勝利を受けて、リンカーン大統領はその四ヵ月後の十一月十九日にゲティスバーグで行われた国立戦没者墓地の奉献式において、あの歴史的名演説を行います。彼は、集まった聴衆を前に、

「われわれの目の前に残された偉大な事業にここで身をささげるべきは、むしろ我々自身なのである。名誉ある戦死者たちが、最後の全力を尽くして身命をささげた偉大な大義に対して、彼らのあとを受け継いで、われわれが一層の献身を決意することであり、これらの戦死者の死を決して無駄にしないために、この国に神の下で自由の新しい誕生を迎えさせるため

リンカーンが演説を行った地。演説の写真は一枚も残されていない

に、そして、人民の人民による人民のための政治を地上から決して絶滅させないために、われわれがここで固く決意することである」（アメリカン・センター仮翻訳）と、語りかけました。

この演説は、米国の基本理念である自由と平等を高らかに宣言したものとして広く知られています。しかしながら、わずか二七二語のこのスピーチは、驚くことに当時は誰も気にもとめませんでした。

というのもリンカーンに先立って、元上院議員でハーバード大学の学長も務めたエドワード・エヴァレットが二時間にも及ぶ大演説をぶったため、聴衆はすでに疲れ果てていたといいます（実際、式典は九月二三日に執り行われる予定でしたが、雄弁家である彼が「そんな短期間では演説稿の準備ができない！」とごねたため、延期されていました）。

一方、ぼそぼそと呟くように始まったリンカーンの演説は、二分たらずで終わってしまったため、周囲にいたカメラマンでさえシャッターを切る時間がなかった。そのため、米国にとって歴史的なこの一瞬を捉えた写真は一枚も残されていません。

この「人民の人民による人民のための政治」といったフレーズは戦後、日本を占領したGHQが作成した日本国憲法の草案、いわゆるマッカーサー草案の「前文」にも採り入れられています。それはGHQ民政局が作成した原文の、

.....government is a sacred trust the authority for which is derived from the people, the powers of which are exercised by the representatives of the people, and the benefits of which are enjoyed by the people; ......

といった箇所にあたり、外務省の仮訳によれば、

「国政ハ其ノ権能ハ人民ヨリ承ケ、其ノ権力ハ人民ノ代表者ニ依リ行使セラレ、而シテ其ノ利益ハ人民ニ依リ享有セラルル神聖ナル信託ナリ」

となります（結果的に現行憲法には採用されていません）。

南北戦争は四年間にわたる戦いの末、戦死者数は南北両軍あわせて約七五万人にも及びました。第二次世界大戦における米軍の戦死者数が約四一万人であったことを考えると、いかに凄まじい戦闘がくり広げられたかがわかります。アメリカ合衆国の独立は一七七六年、建国の地はフィラデルフィアですが、ゲティスバーグは、アメリカ合衆国が連邦国家として成立した地として記憶されています。

北軍に破れた民主党は、その後長年にわたり、冷や飯を食わされることとなります。リンカーンが暗殺されたのち、副大統領であったアンドリュー・ジョンソン（第十七代）が残りの任期を全うしますが、グローヴァー・クリーヴランド（第二二、二四代）とウッドロー・ウィルソン（第二八代）をのぞけば半世紀以上、民主党選出の議員が大統領の座につくことはありませんでした。

二大政党がしのぎを削りはじめたのは、一九三三年にフランクリン・ローズヴェルト（第三二代）が、世界恐慌で疲弊した経済の立て直しを図る政策「ニューディール」を打ち出して以降のことです。ジョー・バイデン大統領に至るまで、民主党がハト派（穏健派）のイメージをまとうようになったのも、このニューディールが転機であったといえるでしょう。

11－ブロードウェイ◉マンハッタン（ニューヨーク州）
社会問題や宗教観が織りこまれたミュージカル

劇場がひしめく大通り

ブロードウェイといえば、ロンドンのウェストエンドと並んで演劇のメッカとして知られています。なかでも超一流の歌と踊りが楽しめるミュージカルには世界中から大挙して観客が押しよせます。ところがこのミュージカル、日本人にはなかなかどうしてとっつきにくいジャンルでもあります。もっとも人並み以上の英語力がなければ楽しめないストレート・プレイ、すなわち台詞《せりふ》劇ともなると、たとえ名作が本場ブロードウェイで上演されていようが、日本人の姿を見かけることはまずありませんが。

とにもかくにも芝居の見せどころに差しかかると、なんの脈絡もなく唐突に歌いはじめる。ラブシーンになるといきなりタップダンスをおっぱじめる。気持ちはわかりますが「おいおい。ふつう、そこで踊るか？」てなものです。

昨今は『キャッツ』や『ライオン・キング』、『オペラ座の怪人』や『ハリー・ポッター』と呪いの子』など、家族でも楽しめる作品が増えたため、格段にハードルは下がりました。とはいえ、この芝居と歌や踊りの切り替えを観る側がスムーズに行えなければ、ミュージカルに没入し、心から楽しむことはできません。

映画狂であった私は高校時代には、年間三〇〇本以上の映画を観ていました。邦画、洋画、古典的名作から最新作に至るまで。それでもハリウッド製のミュージカル映画だけは、どうしてもなじむことができませんでした。いくらフレッド・アステアのステップが華麗で、ジンジャー・ロジャースのタップダンスが軽快であろうとも。そんな私が、なんの因果かミュージカルの虜《とりこ》になったのは、ニューヨークのブロードウェイで実際にステージを観てからのことでした。

ブロードウェイの歴史

世界中の演劇関係者が夢にまで見る檜《ひのき》舞台、著名な劇場が軒を並べるブロードウェイの歴史は、一九世紀半ばにまで遡ります。南北戦争が終結すると、娯楽を求めて人々はマンハッタン島へとやってきました。ロングエーカー・スクエアと呼ばれていた頃のタイムズスクエア周辺には、まだ鉄道馬車の厩舎や農家が点在していたといいます。

それでも一八四二年には、米国初のオーケストラ、ニューヨーク・フィルハーモニー交響楽団（現ニューヨーク・フィルハーモニック）が結成されています。いまや世界最大のエンターテインメント王国となった米国ですが、当時はニューヨークに行かなければ文化の香りを嗅ぐことさえできなかったわけです。ちなみに海を隔てたわが国では、老中水野忠邦《みずのただくに》による天保《てんぽう》の改革の真っ只中。英国がお隣の清国を打ち破ったことを知り、震えあがっていた頃合いです。

当時のエンターテインメントといえば、なんと言ってもオペラが王道でした。とくにイタリアのロマン派を代表するジャコモ・プッチーニは米国でも絶大な人気を誇り、メトロポリタン歌劇場に招かれた彼は、のちに『蝶々夫人』の原作者ともなったデイヴィド・ベラスコがしたためた全三幕からなる『西部の娘（La Fanciulla del West）』に楽曲を提供しています（一九一〇年）。

一方、「オペラかおべっかかなんだか知んねぇが、お高くとまった芝居なんざ、おらたちにゃあ、ちぃともわかんねぇ」といった庶民はどうだったか。彼らはニューヨークの貧しい労働階級出身のWASP《ワスプ》の芸人、トマス・D・ライスがドーランや靴墨で顔を黒く塗り、アフリカ系米国人を嘲笑する「ジム・クロウ」を演じて一世《いっせい》を風靡《ふうび》したミンストレル・ショーや、大道芸を披露するボードビルといった大衆演劇・演芸を観るために下町の小さな劇場に足しげく通っていました。

オペラを現代風にアレンジしたミュージカルは、タイムズスクエアにあったニブロズ・ガーデンで上演された、『黒い悪魔（The Black Crook）』が世界初であったとされています（一八六六年）。この作品は、四七四公演という当時のロングラン記録を打ち立てました。しかしながら劇場街としての発展は、四二丁目と七番街が交差する、現在はちょうどチェイス銀行が建つ角に、ヴィクトリア劇場がオープンするまで待たなければなりません（一八九九年）。この劇場は、シガー・ビジネスで大成功を収めたオスカー・ハマースタイン一世によって建設されました。

劇場のひしめくブロードウェイ

ミュージカルの変遷

レビューのように歌って踊るだけではなく、一貫したストーリーをもつ現在の〝ブック・ミュージカル〟の原点となった作品はといえば、一九二七年三月十五日にジーグフェルド劇場で幕を開けた『ショー・ボート』が嚆矢《こうし》でしょう。南部ミシシッピ川を航行する蒸気船を舞台にくり広げられる人間模様を華やかに描いたこの作品は、日本でも宝塚歌劇の雪組が八六年から上演しています。

同作は、アフリカ系米国人とコケージャン（白人）との婚姻が『異人種間結婚禁止法』によって規制されていた時代に人種問題を取り上げたことでも高い評価を得ています（同法は、六七年の連邦最高裁判決によりようやく廃止されます）。オスカー・ハマースタイン二世が作詞、ジェローム・カーンが作曲を手がけ、アフリカ系米国人の港湾労働者ジョーが歌った『オール・マン・リバー（Ol' Man River）』はいまも広く愛され、スタンダード曲の仲間入りを果たしています。

ブロードウェイ・ミュージカルの第一次黄金期は第二次世界大戦後に訪れます。太平洋戦争を背景とした『南太平洋』（一九四九年）や一九世紀のタイ王国を舞台にした『王様と私』（一九五一年）といったなじみ深い名作が次々に発表され、第二次黄金期は米国がもっとも豊かであった一九五〇年代半ば。『ウエスト・サイド物語』（一九五七年）や『マイ・フェア・レディ』（一九五六年）が人気を博しました。

六〇年代に入ると、ベトナム戦争や公民権運動を背景に、特定のテーマや思想、ムーブメントにスポットライトを当てた〝コンセプト・ミュージカル〟が登場します。大部屋俳優たちの希望と絶望を描いた『コーラスライン』（一九七五年）やロック・ミュージカル『ヘアー』（一九六八年）、性革命を背景に出演者全員が全裸で舞台を駆けまわる『オー！　カルカッタ！』（一九七六年）など、社会性を帯びた作品が上流階級の社交場と化していたブロードウェイに殴りこみをかけました。

初のロック・オペラといわれる『ヘアー』の副題は「アメリカ族のラブ・ロック・ミュー

ジカル（American Tribal Love–Rock Musical）」。日本語にするとなんともおマヌケなタイトルですが、「ヘアー」とは言うまでもなくロン毛と陰毛のことです。

宗教を描いたミュージカル

ブロードウェイ・ミュージカルの楽しみ方はさまざまですが、我々日本人には苦手な「宗教」を理解していなければその魅力は半減してしまいます。日本で宗教色を帯びた芝居ともなると敬遠しがちですが、米国では観客の教養レベルを計るバロメーターとしても機能しています。それほどキリスト教の教義が人々の生活に根づいているともいえるでしょう。

イエス・キリストを等身大の若者として描いた『ジーザス・クライスト・スーパースター』（一九七一年）はいうまでもありませんが、二〇一一年三月の初演以来、現在もロングランを続けている『ブック・オブ・モルモン』は、モルモン教宣教師たちの布教活動をおもしろおかしく描いたミュージカル・コメディです。

日本では、劇団四季が一九八三年の初演以来ロングランを続けている大ヒット作『キャッツ』（一九八二年）も、きわめて宗教的示唆に富んだストーリーだといえるでしょう。この作品はノーベル文学賞作家の英詩人T・S・エリオットが子ども向けにしたためたナンセンスバース『キャッツ　ポッサムおじさんの実用猫百科（*Old Possum's Book of Practical Cats*）』が下敷きとなっています。

満月の夜に猫たちはゴミ捨て場に集まります。年に一度、一匹の猫だけが天上に誘われ、新たな人生を与えられるという〝ジェリクルの選択〟を勝ち得ようと歌い、踊り、我こそはと一夜限りのアピールをくり広げます。

彼らの選択に「承認」を与えるのは長老猫であるオールドデュトロノミーの役割ですが、この名前は、『旧約聖書』の申命記（ヘブル語の「エレー・ハデバリム」の英語表記Deuteronomy）に由来しています。イスラエルの預言者モーゼの告別説教ともいわれるこの書の名を冠することで、オールドデュトロノミーが猫たちの精神的支柱であることがわかります。

幾多の猫のなかから〝ジェリクルの選択〟により天上に召されることとなるのは、なんと元娼婦で猫たちから軽蔑されていた老猫グリザベラ。彼女は過去をさらけ出し名曲『メモリー』を熱唱しますが、この姿はキリスト教信者にマグダラのマリアを想起させます。ヨハネによる福音書八章で、律法学者とパリサイ人が「姦淫の罪を犯した女」をイエスの前に突き出し「モーゼは律法のなかで、こういう女を石打ちにするように命じています」と声高に訴えます。するとイエスは、

「あなたがたのうちで罪のない者が、最初に彼女に石を投げなさい」

と静かに問いかけます。これを聞き、ひとり去り、ふたり去り、やがて誰もいなくなりました。イエスはマリアに語りかけます。

「わたしもあなたを罪に定めない。行きなさい。いまからは決して罪を犯してはなりません」

ミュージカルの最高峰である『キャッツ』は俗から聖へ、猫をかぶったキリスト教的「救済」そして「復活」の物語であるともいえるでしょう。

このようなキリスト教の教えや倫理観は、ブロードウェイ・ミュージカルのみならずハリウッド映画にもくり返し登場します。二〇一八年の総合社会動向調査によると、米国人の二三・一%が「どの宗教にも属さない」と回答しています。しかしながらその大半は、特定の宗教的価値観をもつ家庭で育ちながらも、成長の過程で宗教の非科学性に疑問を感じた者たちです。彼らは、宗教的価値観との葛藤やジレンマを経て、宗教から離れる判断を下しています。

私のユダヤ系米国人の友人は、自他ともに認める世俗派（Reform Judaism）でしたが、『旧約聖書』の文言を一字一句信じる正統派ユダヤ教徒（Orthodox Judaism）と出会うと、猛烈な勢いで議論を始め、周囲を驚かせました。「律法には興味がない」とうそぶいていた彼でさえ、常に神の存在を意識していたわけです。

たかがブロードウェイ、されどブロードウェイ。ミュージカルひとつにも米国の光と闇が色濃く反映されています。

12－ハリウッド◉ロサンゼルス（カリフォルニア州）
映画のメッカは何もかもが桁違い！

「圧倒的」な映画撮影現場

学生時代の私は、いまはなき松竹大船撮影所（神奈川県・鎌倉市）でアルバイトに明け暮れていました。木造の古びた社屋。ギシギシと音を立てながら二階へ上がると、そこにはレトロな喫茶室があり、監督や女優、撮影技師、照明さんらが映画談議に華を咲かせていました。日本映画の旧き良き黄金期の残滓《ざんし》が、かすかに匂う最後の時代であったように思います。映画好きが高じて都内の名画座を渡り歩き、年間三〇〇本以上の映画を貪り観ていたのもその頃です。

そんな私が、カリフォルニア州ハリウッドの撮影スタジオをはじめて訪れたときの衝撃は、いまでも忘れることができません。何はさておきサイズが違う。奥行きから天井までの高さ、備品のひとつひとつから大道具さんの肩幅に至るまで、まるで自分が小人の国からやってきたかのような錯覚に陥りました。

加えてスタッフやキャストの待遇。撮影期間中、主演俳優には豪華なキャンピングカーが丸ごと一台与えられる、まではなんとか理解のしようもありますが、問題は下々のスタッフの扱いです。大船の撮影所で美術部に属していた私は、いつも汚れた手拭いを首に巻き、金槌（ナグリ）とガムテープ（ガムテ）をベルトに差して歩き回り、食事はといえば、社員食堂で定食ランチを数分間で掻きこむのがお約束でした。

それがどうでしょう。ハリウッドでは、豪華なケータリングサービスが用意され、スタッフにもシェフがローストビーフを切り分け、ソムリエがおすすめのカリフォルニア・ワインを注いでくれる。それだけでも短編映画になるガーデン・パーティーのような優雅なしつらえに、開いた口が塞がりませんでした。

戦前、ハーバード大学に留学し、駐米大使館付武官として米国に滞在した経験をもつ帝国海軍の山本《やまもと》五十六《いそろく》連合艦隊司令長官が、米国の圧倒的な国力を目の当たりにして、対米戦争は回避すべきと主張した気持ちがよくわかりました。

これでは日本映画なんぞ到底ハリウッドにはかなわない。資本力、マンパワーに創造力、何よりも伝統が違いすぎる。米国にけんかを売るなど、まるで爆撃機に竹槍で戦いを挑むようなものだ。スラリと伸びた女優の足に収まった、サイズが二六センチはあるかと思われる真っ赤なピンヒールを眺めながら意気消沈したものです。

自由な映画製作への夢を支えた街

フランスの哲学者・思想家であるジャン・ボードリヤールは、その著書『アメリカ　砂漠よ永遠に』のなかで米国を、

「まさに映画の外部において国中が映画的である」

と語っています。言い得て妙。たしかに米国は建国以来、スクリーンに映し出される理想郷を、この世に現出しようと努力を重ねてきました。ただ彼は、

「ここではユートピアが実現され、また反ユートピアも実現されている」（法政大学出版局／田中正人訳）とも言っています。


映画の都ハリウッドは「聖林」と書きあらわされますが、これは完全なる誤訳です。ハリウッドの綴りは“Hollywood”なので、「聖なる」という意味であれば“Holy”となります。“Hollywood”は直訳すれば「ヒイラギの森」。ただ、クリスマスリースなどにも用いられるセイヨウヒイラギは、そもそも地中海性気候のカリフォルニア州では育成しませんが、欧州ではキリスト教が生まれる以前から聖木とされていたため、こうした当て字で落ち着いたものと思われます。たしかに夢の国ハリウッドを表すには、これほど的確な漢字はないでしょう。

ハリウッドの歴史は、オハイオ州出身のダエイダ・ウィルコックス・ビバレッジが一八八七年にこの地に移り、一二〇エーカーのイチジク果樹園を購入したことに端を発しています。

「ハリウッド」の名付け親である彼女は、夫とともに市街地の開発に尽力し、二〇世紀を迎える頃には郵便局や警察署、銀行、劇場も備える街にまで育てあげました。

映画会社がこの地に移ってきたのは一九一〇年前後。当時、映画産業の中心はニューヨークでしたが、映画の撮影技術にかかる特許のほとんどは発明王トマス・エジソンがニュージャージー州で経営していた会社に押さえられていました。そのため、特許侵害で訴えられ、撮影が中断させられることも少なくなかったといいます。また、WASP《ワスプ》に支配されていた映画界では、あとからやってきたユダヤ系やイタリア系米国人が日の目を見ることはありませんでした。

こうしたしがらみから逃れ、自由に映画製作をしようと、多くの映画人がニューヨークから遠く離れた西海岸を目指しました。西部劇に登場するメキシコ人の盗賊バンディード(Bandido)よろしく、ハリウッドの黎明期には多くのはぐれ者たちがカリフォルニアの青い空の下に集いました。

ハリウッドで最初に撮られた長編映画は、ウィリアム・ニコラス・シーリッグが製作した*In the Sultan's Power*（一九〇九年）。当時のフィルムは感度が低かったため、彼は天候不順の東海岸よりも、カリフォルニアのほうがはるかに撮影に適していると力説しています。

やがてパラマウントやワーナー・ブラザーズ、ＲＫＯ、コロンビアといった四大映画会社もハリウッドに拠点を移し、三〇年代には年間六〇〇本もの映画を量産する映画の都が誕生しました。

開放的なハリウッドの街並み。丘の上に“HOLLYWOOD”のモニュメントが見える

世界の映画市場

現在、米国の映画製作本数は年間六六〇本で、世界第三位となっています。言うまでもなくほとんどの作品は、日本では公開されていません。というのもその多くが、愚《ぐ》にもつかない青春モノであったり、日本人には言葉の壁があるコメディ作品、主演がテレビ俳優であるため日本人にはなじみが薄い、といった理由からです。

ちなみに映画製作本数の第一位は、意外に思われるかもしれませんが、インドです。桁違いの一九八六本もの作品が作られているというからびっくり仰天してしまいます。同国の映画産業の中心地はムンバイですが、その旧称であるボンベイを冠して「ボリウッド」と呼ばれるインド映画は、平均三〇〇ルピー（約四三〇円）ぽっきりで観られることもあり、いまも娯楽の王様です。

インド映画はとにもかくにも絢爛豪華《けんらんごうか》。絵に描いたような美男美女が登場し、歌って踊るといった単純明快なストーリーが魅力です。ＶＦＸ（映像合成技術）を使うよりも人件費が安いのか、エキストラの数も尋常ではありません。それだけに、かつてハリウッドのミュージカル映画が放っていた映画そのものの楽しさを存分に味わうことができます。第二位は世界第二位の経済大国、中華人民共和国で八七四本。ちなみに日本は五九四本で第四位につけています（二〇一七年。ユネスコ調べ）。

ただし、映画の国際市場規模では米国が約一一一億一八六五万ドルで断トツの一位。とんでもない人口を擁するインドや中国では国内入場者数は多いものの、いまだ世界市場を席巻するほどの作品を生み出すまでには至っていません。ちなみに興行収益が世界歴代でもっとも高かった作品は、アメリカン・コミックのヒーローたちが総出演した『アベンジャーズ／エンドゲーム』（二〇一九年）の二七億九〇二〇万ドルで、この数字はなんと秋田県や宮崎県の一般会計予算とほぼ同額です。

ハリウッド映画の強みは、国内での上映のみならず全世界でもロードショー公開され、ブルーレイ・ＤＶＤやインターネット配信はもちろんのこと、関連グッズの販売も見込めることです。たとえ、米国内での興行収益が芳しくなくとも、海外で大ヒットを記録する作品も少なくありません。

ハリウッド映画の未来

その一方で、あまりにも製作費が高騰したため、確実に興行収益を見込める企画でなければゴーサインが出ないといった由々しき事態にも陥っています。例えば二億ドルもの巨費を投じて製作された『ＴＥＮＥＴ　テネット』（二〇二〇年）は、新型コロナウイルス感染拡大の影響から、もっとも集客力が見込めるニューヨークとロサンゼルスの映画館が閉鎖されていたこともあり、四億五〇〇〇万ドルといわれる世界興行収益の採算ラインをはるかに下回りました。興行は水ものとはいえ、ギャンブル性が極度に高まっているのがハリウッド映画ビジネスの現状です。

前出のボードリヤールは、

「カリフォルニアの自然までが、古代地中海の風景のハリウッド的パロディーなのだ」

と揶揄しています。映画の世界は張りぼてです。嘘の上に嘘を塗り固めて、真実を紡ぎ出す。私も撮影スタジオでは、ベニヤ板で江戸城の大奥を三日三晩かけて「作って」いました。ハリウッドでは現在、高度なＶＦＸを用いた実写素材とＣＧで作成した画像との合成は当たり前となっています。そのおかげで、実写では表現できなかった迫力ある映像や現実にはあり得ないシーンを次々と生み出しています。

最近ではディープラーニング（機械学習）を用いて顔を差し替え、目の動きから表情、わずかなしぐさまで完全にコピーできるようにもなっています。こうした技術はディープフェイクと呼ばれていますが、撮影場所、時間の差し替えのみならず、俳優も撮影されることなく〝出演〟できるほど、非日常性は深化の一途を辿《たど》っています。

「ちょっと待ってくれ。お楽しみはこれからだ！（Wait a minute, wait a minute. You ain't heard nothin' yet!）」

これは長編映画としては世界初のトーキーといわれる『ジャズ・シンガー』（一九二七年）に登場する名台詞《めいぜりふ》です。

映画館の漆黒の闇に浮かび上がるスクリーンに映し出された光の束が舞い、踊る。映画が「銀幕」と称される所以《ゆえん》です。元々は砂漠にすぎなかったカリフォルニアに、突如として現れたハリウッド。そこは、見果てぬ夢の生産工場であり、砂上の楼閣でもあります。

13－エリス島◉ニューヨーク州
移民たちが目指した自由と民主主義への玄関口

入国審査場があった島

米国で人気の観光地といえば、どのランキングを見てもニューヨークが断トツの第一位。続いてハワイ、第三位はディズニーワールドやユニバーサルスタジオがあるフロリダかラスベガスといったところでしょう。さすがは世界一の大都会、ニューヨーク州マンハッタンには、数え切れないほどの観光スポットがあります。

タイムズスクエアやエンパイア・ステート・ビル、自由の女神もあればセントラルパークもある。アート好きにはメトロポリタン美術館やニューヨーク近代美術館（ＭＯＭＡ）。音楽好きならば『アポロ・シアター』や『ＣＢＧＢ』『イリジウム』といったライブハウスや、名門ジャズクラブ『ブルーノート』や『ヴィレッジ・ヴァンガード』で思いがけない有名ミュージシャンと出会うこともあります。

ところが、世界中どこにでも出没する日本人観光客には見向きもされない、それでも、米国人であれば一生に一度は訪れてみたいと思う「観光地」がニューヨークにはあります。

ニューヨーク州とニュージャージー州を隔てるニューヨーク湾に浮かぶエリス島。観光ツアーの定番である「自由の女神（正式名称は、「世界を照らす自由」）」がすっくと建つリバティ島の北に位置する、広さわずか十一・一ヘクタールの小さな島。その大半は一八九〇年に埋め立てられた人工島です。ここに一八九二年、連邦政府が管轄する入国審査場が設けられました。

かつて入国審査場があったエリス島

帰化管轄権を有する裁判所はかつて全米各地に五〇〇〇もあり、帰化の手順もまちまちでした。しかし一九〇六年に制定された基本帰化法によって、米国は国家として本格的に移民を受け入れる態勢を整えます。その後一九二四年まで、おもに欧州からやってきた一二〇〇万人もの移民たち、米国民のじつに五人に二人の先祖たちが「新世界」における第一歩をこの島で刻みました。

北大西洋を渡ってきた移民船の一等、二等船室に泊まれるような裕福な乗客は、船上で手続きを済ませることを許されましたが、三等船室や貨物倉船室に押しこめられた乗客は同島で下船し、三～七時間にわたって入国審査や身体検査を課せられました。

一九一〇年代には、第一次世界大戦の勃発により混乱の坩堝《るつぼ》と化したオーストリア＝ハンガリー帝国や、ロシア革命の嵐が吹き荒れたロシア帝国（現ロシア連邦）、国家財政が破綻寸前にまで追いこまれていたイタリア王国（現イタリア共和国）などから多数の移民たちが米国に押しよせます。

生活苦や宗教弾圧、人種差別から着の身着のままで逃れてきた彼らは〝新移民〟と呼ばれ、英国やドイツ国（現ドイツ連邦共和国）からやってきたWASP《ワスプ》（ホワイト・アングロ＝サクソン・プロテスタント）が主流であった〝旧移民〟と比較すれば、明らかに貧しい下層階級出身の人々でした。なかには感染症を疑われたり、身元確認ができなかったことから、長期間島内に拘留されるケースもあり、三〇〇〇人余りがこの島で命を落としたといわれています。

それだけにエリス島は、ある者にとっては「希望の島」であり、またある者にとっては、入国を拒まれた家族と引き裂かれた「悲哀の島」として記憶されています。まさに、天国と地獄を分かつ結界がここにありました。

人気の移民博物館

マンハッタン西岸のバッテリーパークからフェリーに乗りこみ、三〇分ほど潮風に吹かれると、白く輝く自由の女神が視界に飛びこんできます。数日間もの船旅を終えた移民たちが、ニューヨークで最初に目にしたのもこの九三メートルの立像でした。彼らは、彼女が高く掲げる松明《たいまつ》をどのような想いで眺めたことでしょう。

デッキには、年老いた老夫婦の姿が目立ちます。エリス島に上陸すると、彼らは脇目も振らずに入国審査場の跡地である移民博物館を目指します。いかにも中西部からやってきた風体の垢抜けないカップルも交じっていますが、そこにアフリカ系米国人の姿はありません。

館内では、厳重に保管された当時の乗船名簿を丹念にめくり、三代から四代遡った親類縁者の名前を探します。彼らにとってこの島への旅は、自らのルーツ探しにほかなりません。とくに貧困層は家系図などといった気の利いたものなど持ちあわせていなかったため、功成り名を遂げた子孫であれ、自らの出生地を辿《たど》ることは容易ではありません。

WASPがマイノリティになる世の中

米国でルーツ探しに火がついたのは一九七〇年代後半のことでした。建国以来、米国は破竹の勢いで発展を遂げ、世界の富と権力を手中に収めました。そもそも旧世界と袂を分かって海を渡っただけに、家系になど興味がなかったともいえるでしょう。

ところがベトナム戦争で敗北を喫し、米国は挫折を味わいます。膨大な戦費があだとなり深刻な不況に見舞われると、人々はおのずと旧き良き時代へと想いを馳せるようになりました。それは、〝新興国〟米国がはじめて過去を振り返った時代でした。

一方で、中南米やアジアからの移民が〝新移民〟の職を奪い、いわゆるプアホワイト、コケージャン（白人）の低所得者層が急増します。中産階級が減少しはじめたのもこの頃で、いまや米国国勢調査局（U.S. Census Bureau）の調べによれば（二〇一四年）、ヒスパニック系とアジア系の出生率がコケージャンを上回り、史上はじめてマイノリティ（少数派）がマジョリティ（多数派）を上回るようになりました。

人口比率はコケージャンが六二・二％で、ヒスパニック系とアフリカ系、アジア系の合計は三五％に留まり、依然としてコケージャンが多数を占めてはいますが、米『ワシントン・ポスト』紙は、出生率がこの勢いで推移すれば、二〇四五年にはコケージャンの人口が全体の約四八・五％にまで減少すると予想しています。つまり、あと三〇年たらずで人口の半数以上が「白人」ではなくなる計算になります。

ドイツとアイルランドの血を引くドナルド・トランプ前大統領による移民政策の大転換は、じつのところWASP社会を死守する戦いだったともいえるでしょう。「再びアメリカを偉大にしてみせる！（Make America Great Again!）」といったスローガンを掲げて二〇一七年に第四五代大統領に就任して以来、彼は同年一月二七日に、『外国テロリストの入国からの合衆国の保護』と題された大統領令に署名。シリア難民を〝有害〟と見なして受け入れを無期限停止とし、テロの懸念がある国として七ヵ国のイスラム教国からのビザ発給を九〇日間停止するなど反移民政策を次々と打ち出しました。また、「不法移民は侵略者」と公言し、メキシコ合衆国との国境警備を強化するなど、孤立主義を推し進めました。

米国の歴史をひもとけば、孤立主義と「パクス・アメリカーナ」に象徴される拡張主義は交互に顔を覗かせてきたことがわかります。人種差別主義との批判の絶えなかったトランプ前大統領の強硬な政策は、グローバリズムの反動、揺り戻しともいえますが、むしろWASP国家の崩壊に対する危機感のあらわれと見て取ることができます。

ルーツ探しブーム

米国の、自由と民主主義を求める人々には門戸を開くといったコスモポリタニズムは、建国以来米国の根本理念として機能してきました。優秀な人材を世界中から引き寄せ、圧倒的な資金力と機動力を提供することで大きく花開かせ、国益を維持してきた歴史があります。そのため、移民の受け入れを大幅に制限することは、米国のアイデンティティそのものを揺るがすおそれがあります。

もっとも、米国といえども永遠に移民を受け入れつづけるわけにはいきません。とくにヒスパニック・ラテン系の不法移民が急増し、国内で出産、市民権を取得するといった流れに歯止めをかけなければ、生産性が低下するとともに社会保障関連費用がかさみ、国家財政が立ちゆかなくなります。米国が掲げる「移民の自由な受け入れ」は、コケージャンが移民の主流であった時代、エリス島が入国審査場として機能していた全盛期の産物であったことを忘れるわけにはいきません。

こうした内向きの傾向はルーツ探しを加速させ、一九九六年に起ちあげられたインターネット・サービス、アンセストリー・ドットコム（ancestory.com）は二〇〇万人もの登録会員を獲得しています。同サービスは、国勢調査や婚姻記録、移民の入国記録から新聞記事のスクラップに至るまで、一六〇億件にものぼるデータへのアクセスを提供する「ルーツ探しお助けサイト」です。

ユーザーはこれら資料を駆使して自らの家系図を作成するのみならず、先祖がどこの村に居住し、どのような職業に就いていたかも調べられます。また、DNA鑑定サービスも一〇〇ドル以下で請け負っているため、血縁関係もすみやかに解明することができるといいます。

米国で、市民権を取得する移民は宣誓式に出席し、『忠誠の誓い（Oath of Allegiance)』を唱えることが義務づけられています。そこで移民たちは、

「私は、これまで私の主体であり市民であった外国の王子、統治者、国家、または主権へのあらゆる忠誠と義務を完全かつ絶対的に放棄し、棄権することをここに宣します」

と米国への忠誠を誓いますが、移民の大幅な制限により、これまでとはまったく異なった

国家へと変容する可能性があります。

「五ドルだけを握りしめて入国した」といったお涙頂戴の美談は、すでに遠い昔の夢物語となりつつあります。

14－ニューオーリンズ◉ルイジアナ州
ジャズを生んだ、文化の合流する港街

植民当初はフランス領だった

「新世界」といわれただけあって、米国には地名に「ニュー」が付くケースがやたらと多いことに気づかされます。州名だけでもニューヨークにニューハンプシャー、ニューメキシコやニュージャージーがあります（ヴァーモント州はかつてニューコネティカット州と称されていましたが、コネティカット州と間違えやすいことから一七七七年に改められています）。都市名ともなればきりがありません。

「おニュー」な地名の語源は、大きく分けると三つに絞られます。まずは単純に、母国から最初に入植の許可を得た人々が出身地に「新（ニュー）」を付けただけのもの。ふるさとは遠きにありて思ふもの、です。ニューハンプシャーやニュージャージー、ニューブリテンなどがこれにあたります。街並みや景観も、得てして故郷を模したものとなりがちで、どうしたところで張りぼて感は否めない。またニューメキシコのように、メキシコ合衆国から割譲された土地であることを表す州名もあります。
もうひとつは、植民地の持ち主であった国王の名前を冠したもの。ニューヨークは、英国のチャールズ二世により弟のヨーク公爵（のちのジェームズ二世）に与えられたことからその名を戴き、ヴァージニアという州名もエリザベス一世が〝ザ・ヴァージニア・クイーン・オブ・イングランド（イングランドの処女王）〟と呼ばれていたことに由来しています。

ルイジアナ州のニューオーリンズも、読んで字のごとく「おニュー」のお仲間です。地理的にはメキシコ湾に面し、カリブ海の島々にも近いこの街は、サンアントニオやエル・パソのようにスペイン語の名称であってもなんら不思議ではありません。ところがニューオーリンズは、なんとフランス語が語源となっています。

スペイン人のコンキスタドール（探検家または征服者）、エルナンド・デ・ソートは、黄金を探し求めて西進し、多くのネイティブ・インディアンを虐殺しながら一五四一年にヨーロッパ人としてははじめてミシシッピ川に到達します。しかしながら植民地を確保するまでには至らず、かわって登場したのがおフランスの探検隊でした。

ルネ＝ロベール・カヴリエ・シュ・ド・ラ・サールは一六八二年にミシシッピ川を南下し、四月九日に河口付近に到着すると、ミシシッピ川流域はフランス領だといきなり宣言します。西洋人にとって未開の地であった新大陸の縄張り争いは、言った者勝ちであったことがよくわかるエピソードです。

彼らは、すかさず当時のフランス国王ルイ十四世に敬意を表してこの地をルイジアンヌ（Louisiane）、「ルイ国王のもの」と命名します。現在のルイジアナ（Louisiana）となったのは一八〇三年に米国領となってからのことです。

一七二二年に仏領ルイジアンヌの首都となったニューオーリンズも当時、ルイ十五世の摂政を務めていたオルレアン公（duc d'Orléans）フィリップス二世にささげられたネーミングでした（オルレアン公の新しい領土の意）。日本でいえばさしずめ、宗右衛門町《そうえもんちょう》（大阪府・大阪市）、加田屋新田《かたやしんでん》（埼玉県・さいたま市）、麻布市兵衛町《あざぶいちべえちょう》（東京都・港区）といったところでしょう。

フランス第一共和政の統領であったナポレオン・ボナパルトは、新世界に巨大な植民地を作る野望を抱いていました。しかしながら仏領ハイチで起こった革命で奴隷が解放されたことを契機に、しぶしぶ夢をあきらめ、一八〇三年にはルイジアンヌも破格の一五〇〇万ドルで米国に売り払ってしまいます。領土が金銭で売買されることに違和感を抱く読者もおられるでしょうが、植民地はあくまでも〝不動産〟として扱われていた、そんな時代です。

ブラック・ミュージックは南北戦争が引き金に

米国に編入される以前から、この地域には多数の奴隷たちがアフリカ大陸から〝輸入〟されており、一八〇〇年の調査によれば、ルイジアンヌには一万九八五二名の自由人と二万四二六四名の奴隷がいたとされています。つまり入植者よりも奴隷がはるかに多いといったいびつな人口構成となっていました。

ハイチ革命によって大量のフランス系移民と奴隷がニューオーリンズにもなだれこんできました。この街は、綿花と砂糖（サトウキビ）の主要輸出港であったため、猫の手も借りたいほど忙しかったプランテーションの農場には、十分すぎる需要があったことがうかがえます。

やがて南北戦争を迎えるとルイジアナはあっけなく白旗を掲げ、ニューオーリンズは一八六二年四月二五日、奴隷解放を掲げた北軍に占領されてしまいます。そのため、法の前に平等という理念の下、奴隷たちは自由を手にし、悪くいえば農場から放り出されてしまいます。もちろん退職金もなければ財産もない。奴隷もまた〝商品〟のひとつだったわけです。

仏領であったルイジアンヌには、アフリカ系とフランス系の両親をもつクリオールと呼ばれた人々が数多くいました。彼らは、ほかの州とは異なり、この地では「白人」として位置づけられ、高等教育を受ける機会も与えられていました。しかしながら奴隷解放とともに彼らも「有色人種（Colored）」に区分されるようになります。

一九〇〇年の段階でルイジアナ州人口の四七％を占めていた多くのアフリカ系米国人たちは、生きる糧を求めてミシシッピ川をのぼり、シカゴをはじめとする工業化された北部の大都市を目指しました。地元に残ったアフリカ系米国人の一部、とくに音楽教育を受けたクリオールたちは楽器を手に取ります。楽器は解散を強いられた南軍の軍楽隊から、二束三文で放出されていました。これがその後、音楽の常識を根底から覆したブラック・ミュージックのはじまりでした。

ジャズの誕生

ニューオーリンズに留まったアフリカ系米国人たちは、かつて死出の旅に赴く親族や友人を、派手な一張羅で着飾り、とびっきり陽気なゴスペル・ソングを奏で、一心不乱に踊り狂いながら見送りました。

母なる大地から、愛する家族から引き裂かれ、わしらは有無を言わさず奴隷として新天地に売り飛ばされた。短い一生、何ひとついいことなどなかった。神よ、もしも来世というものがあるならば、せめてそこでは幸せに過ごさせてやってほしい。死者は天国へと旅立つのだ。これほどめでたいことはない。皆で精一杯、祝福してやろうじゃないか。こうしたやるせなくも屈折した心模様からニューオーリンズ・ジャズは生まれました。

仏領時代の風情をわずかに残すフレンチ・クォーターのバーボン・ストリートでは、毎夜観光客向けにディキシーランド・ジャズが演奏されていました。ジャズは日本ではファンの多い音楽ジャンルですが、本場ではすっかり廃れてしまったため、超一流ミュージシャンでない限り、こうした見世物的な場でしか演奏する機会がありません。

港湾都市・ニューオーリンズは、ジャズ発祥の地。ジャズ（Jazz）の綴りは元々〝Jass〞で、フランス語で「気合いを入れる」といった意味合いの〝jaser〞が語源であったといわれています。ジャズは、性行為または性器を表すスラングであっただけに、当時のニューオーリンズにはストーリーヴィルと呼ばれたエリアに、ジャズ・ハウス（Jass House）と称された売春宿が軒を並べていました。

音楽は、港街で生まれます。タンゴもアルゼンチン共和国の首都ブエノスアイレスと隣国ウルグアイ東方共和国の首都モンテビデオの間を流れるラ・プラタ川の沿岸地域で、一八八〇年前後に生まれています。荒んだ移民たちが集まる港街ラ・ボカ（La Boca）の酒場や売春宿で、ダンスに興じる男女が編み出した妖艶なタンゴ。港街には、異文化が混ざり合い、男女が絡み合う猥雑さがあります。

ジャズの隆盛と人種差別

世界的に有名となったジャズは、詳細な記録はないものの、クリオールたちが修得した西洋音楽と西アフリカや西サヘルの民族音楽が融合し、二〇世紀初頭に誕生したと考えられています。楽譜を解さないアフリカ系米国人とクリオールの音楽センスが独特のリズムと旋律を編み出し、娼館でさかんに演奏されるようになります。コール・アンド・レスポンスといわれるジャズ特有の即興演奏も、こうした酔客のヤジや娼婦の嬌声から生まれました。

やがて自ら名刺に「ジャズとスイングの創始者」と刷りこんだ天才作曲家ジェリー・ロール・モートンが一九一〇年代に現れ、ボードビルショーの巡業で南部の各州をまわったことから、ジャズは知名度を高めていきます。

ニューオーリンズのルイ・アームストロング・パークに建てられた〝サッチモ〟の銅像

ローカル色の強かったジャズがはじめて録音されたのは「白人」のメンバーで固められたニューオーリンズ出身のオリジナル・ディキシーランド・ジャズ・バンドが演奏した『ディキシー・ジャズ・バンド・ワン・ステップ』と『リバリー・ステイブル・ブルース』でした（一九一七年）。これを契機にジャズの中心地はシカゴへと移り、ルイ・アームストロングやキング・オリバー、ジョニー・ドッズといった初期の名プレーヤーを輩出することとなります。〝サッチモ〟の愛称で知られたアームストロングが歌って大ヒットを記録したゴスペル・ソング『聖者の行進』は、スタンダード・ソングの仲間入りを果たしています。

彼は、音楽界ではじめて成功したアフリカ系米国人でした。それでも、人種隔離政策が取られていた南部諸州では「有色人種（Colored）」と書かれたトイレしか使うことは許されず、一流ホテルにも泊まることができませんでした。なんとも皮肉なことに、そんな彼を拍手喝采で迎えたのがフランスの音楽マニアでした。

ハリウッド映画にも出演し、「白人」に魂を売った「黒人」とも陰口を叩かれたサッチモでしたが、公民権運動の指導者であったマーティン・ルーサー・キング・ジュニア牧師が一九六〇年代にアラバマ州で平和行進を行っている際、警官隊に妨害されたのを聞き、

「もしもイエス・キリストが黒い肌で行進をなされれば、やはり彼らは殴打するのだろうな」

と、言い放ったといいます。

15－ホノルル◉ハワイ州
フロンティアは太平洋へ、ハワイ王国の滅亡

人々を癒す美しい島、ハワイ

ワイハ、いやハワイには、どうやら私たち日本人を惹きつけてやまない魔力があるようです。海外旅行のビギナーはもちろんのこと、世界各国を巡った旅の達人たちでさえ、最終的にはハワイがいちばん落ち着くといいます。

最大の魅力は、なんといってもハワイ島のキラウエア火山やサーファーのメッカであるオアフ島のノースショアなどの雄大な自然、また海洋生物や常夏の気候風土などが挙げられます。「ハワイ」の語源はハワイ語で「命と水があるところ（ha-Wai-i）」。とはいえ、そんな意識の高いナチュラリストはごく一部で、大半は家族旅行や新婚旅行といった団体客です。

それだけに、日本からの距離が近い、日本語が通じる、日常生活に必要なものはなんでもそろっている。何よりも免税店（ＤＦＳ）が充実している、といったごく身近なメリットを見逃すことはできません。いくら風光明媚だとはいえ、インド洋に浮かぶマダガスカル島で

はこうはいかない。

年末年始や大型連休ともなれば、ワイキキビーチは、まるで湘南の海水浴場かと見間違うほどの日本人観光客で溢れかえります。「ハワイは日本人だらけで海外に来た気がしない」と、不満たらたらのあなた自身が日本人という悲しい現実。それもそのはずで、二〇一九年の日本人渡航者は一五五・九万人でしたが、ハワイ州の人口は一四一・六万人。なんと住民の数を上回るほどの日本人が大挙して訪れたことになります。観光地として名を馳せることは、いいことばかりではありません。物価高騰が止まらず、若者たちを中心によりよい雇用機会を求めて米本土へ移住する地元民が増えているともいいます。

そんなハワイへ、日本人が海を越えて渡ったのは、この島々が米国領となる以前のことでした。

ハワイ王国と各国の交流

そもそもハワイ諸島は、ポリネシア系の大首長たち（アリイ）によってそれぞれの島が支配されていました。一七七八年に英国のジェームズ・クック船長がカウアイ島とワイメア島に上陸。探検航海を支援していたジョン・モンタギュー（サンドイッチ伯爵）にちなんでここを「サンドイッチ島」と名づけたことから西洋との交流が始まりました。

一七九〇年にキラウエア火山が大爆発を起こしますが、これに霊力を得たのか、カメハメハ大王と呼ばれたカメハメハ一世は英国人から帆船の航法や大砲技術を学んだのちに、全島の統一を目指します。そもそもが、神から桁外れなパワー（マナ）を授けられたと信じられていた彼が、漫画『ドラゴンボール』の亀仙人《かめせんにん》が編み出した「かめはめ波」ともいえるような欧米の近代兵器を手にしたわけですから、鬼に金棒です。瞬く間にハワイ諸島を傘下に収め、一八一〇年にハワイ王国を打ち立てました。

やがて香り高い白檀《びゃくだん》が主要輸出品目となり、捕鯨船の中継補給基地ともなったため、ハワイには欧米の貿易商人が殺到しました。さらにはキリスト教の宣教師も渡来したため、ハワイの西洋化は一気に加速していきます。

一八四一年に、難波した十四歳の中浜（ジョン）万次郎《まんじろう》が伊豆諸島の無人島・鳥島《とりしま》で捕鯨船『ジョン・ハウランド』号によって救助され、ホノルルに寄港したといった記録が残されていますが、「元年者」と呼ばれる日本初の移民約一五〇人が横浜港を出港したのは、一八六八年五月十七日のことでした。

ハワイは西欧人が導入したサトウキビのプランテーションにより、砂糖の生産量が飛躍的に増大しますが、同じく西欧人が持ちこんだ病気によって、人口も激減。労働力を補うため移民を受け入れざるを得なくなっていました。

一八八一年三月には第七代デイヴィド・カラカウア国王が来日し、明治天皇に赤坂離宮で謁見し、移民を要請しました。これを受けて四年後には、明治政府公認の「官約移民」が始まります。同年二月に汽船『シティ・オブ・トウキョウ』号に乗った九四五人を皮切りに、ハワイ王国が滅亡するまでに二万九〇〇〇人余りの日本人が移民し、一九二〇年にはハワイ準州における日系人の割合は四二・七％をも占めるほどになっていました。

ハワイ王国の国歌『ハワイ・ポノイ』(Hawaii Ponoi)は、「陽気な王様（メリーモナーク）」と呼ばれたカラカウア王が、一八七六年にカメハメハ大王にささげる歌として作曲しています（現在はハワイ州の州歌）。カラカウア王が来日した際、帝国海軍軍楽隊は横浜港でこの曲を演奏し国王陛下一行を歓迎しますが、国王は思いがけない日本側のもてなしに感激し、すすり泣いたとも伝えられています。

この際に、ちょっとした珍事が起こりました。カラカウア王が明治天皇に、正式名を「ヴィクトリア・カウェキウ・ルナリオ・カラニヌイアヒラパラパ・カイウラニ・クレゴーン」とするカイウラニ王女と、当時十三歳だった山階宮定麿王《やましなのみやさだまろおう》（のちの東伏見宮依仁親王《ひがしふしみのみやよりひとしんのう》）との縁談を申し入れたのです。

国王は、米国本土から移住した農場主ら経済界を中心に親米派が勢力を拡大するなか、日本の皇室とハワイ王家との関係を深めることで、王国の存続を図ろうとしたわけですが、明治政府は米国との関係が悪化することを恐れ、「国力増強に努めている明治新政府にはそこまでの余力はない」と、けんもほろろの対応でこれを断りました。

ハワイを飲みこんだ米国のフロンティア

来日した十年後にカラカウア王は亡くなり、妹のリリウオカラニ女王が王朝の立て直しを図りますが、米公使らの策略に陥りハワイ王国はあえなく崩壊してしまいます。もしもこの政略結婚が成立していたならば、ハワイは、私たち日本人にとってさらに身近な存在になっていたどころか、その後の日米関係を大きく変えた可能性さえあります。

女王は流血を避けるため王政の撤廃に合意し、一八九三年に王位を剝奪されてしまいます。彼女はカラカウア王が三六万ドルを投じて建設したイオラニ宮殿の二階に八ヵ月間幽閉されますが、この米国に現存する唯一の王宮には、当時としては珍しい電気のシャンデリアや水洗トイレも備えられていました。

女王が宮殿内で一八七八年頃に作詞した歌が、あの有名な『アロハ・オエ』です（「ハ(ha)」は「命」、神の息吹を意味します）。この歌は、オアフ島のマウナヴィリで彼女の妹リケリケ王女と西欧人の軍人とが別れを惜しんだ光景を描いたともいわれていますが、詞に登場する「雨」は共和制を目指す支配層、「花」は国民を指し、伝統的なハワイとの別れの歌ともいわれています。

ハワイ州立議事堂の前には、イオラニ宮殿に背を向けたリリウオカラニ女王の銅像が建てられていますが、その左手には『アロハ・オエ』の歌詞が綴られた紙片が握られています。

女王が幽閉されていたイオラニ宮殿

ハワイは一九〇〇年に米国の準州となり、一九五九年に米国の五〇番目の州に昇格しました。

米国は、アメリカ＝メキシコ戦争を経て一八四八年にはカリフォルニアを獲得し、太平洋にまで到達。当時の巨大市場であった清国への中継地点としてハワイそして日本へ進出を試みました。のちに日本の帝国海軍はハワイの真珠湾に奇襲攻撃を仕掛け、太平洋戦争の口火が切られるわけですが、この太平洋の真ん中に位置する島々は、常に日米関係の狭間で揺れ動いてきたともいえるでしょう。

ハワイで交わされる挨拶「アロハ」。「アロ」は正面という意味で、古代ハワイでは額と額を合わせて呼吸（命）を分かちあっていたことに起因し、転じて互いを尊重し、愛情をもって接する精神を表しています。私たちがハワイに魅せられる理由は、どうやら青い珊瑚礁だけではないようです。

16－T型フォード誕生の地◉デトロイト（ミシガン州）

自動車産業栄枯盛衰、廃墟と化した街の再生はなるか

自動車の誕生、産業の発展

かつて米国製の自動車がステータスだった時代がありました。ヨーロッパ車の流麗なフォルムに対抗するかのような頑丈でいかついボディ。一家がそろって足を伸ばせるほど広々とした車内に、まるでタンクに穴が空いたかと思わせるほどの燃費の悪さ。鉄鋼はいくらでも製造できるし、ガソリンは唸るほどある。

世界一豊かな国だからこそ作れた費用対効果完全無視の金ピカ製品、それがいわゆる黄金期のアメ車でした。一九〇八年に創業されたゼネラルモーターズ（GM）のフラッグシップモデルであるキャデラックは、まぎれもなく富の象徴であり、世界中のカーマニアの憧れの的でした。米国は、自動車産業の発展に伴い栄華を極め、衰退とともに輝きを失っていったといってもよいでしょう。

メイド・イン・アメリカの代名詞として君臨しつづけた自動車ですが、そもそも米国人が

生み出したものではありません。一七六九年にフランス人のニコラ・ジョゼフ・キュニョーが、馬車にかわって蒸気で走る自動車を発明。一八八五年にはドイツ人のゴットリープ・ダイムラーがガソリンを用いた四ストロークエンジンを開発し、翌年には四輪車の製造にも成功します。同社のガソリンエンジンの製造ライセンスを保有していた仏パナール・エ・ルヴァッソール社が、エンジンの後方にクラッチ、トランスミッションを縦一列に配したFR方式を考案し、これが現在の自動車技術の基礎ともなっています。

二〇世紀初頭には、これまたフランスのド・ディオン・ブートン社が一九〇〇年一月から翌年四月にかけてガソリンエンジンを搭載した一五〇〇台を完売。当初はフランス共和国が自動車製造・販売をリードし、市場を席巻していました。当のキャデラックも、その名称はミシガン州デトロイト市をつくったフランス人冒険家で軍人でもあったアントワーヌ・ロメ・ド・ラ・モート・カディヤックから取られています。ちなみに「デトロイト」も、語源はフランス語のル・デトゥロワ（le détroit）、「狭い海峡」です。

カディヤックは一六八三年から三〇年以上にわたり現在のカナダ、ミシガン州から南はルイジアナ州まで、広範な地域を開拓した立志伝中の人物として知られています。キャデラックのエンブレムも、同家の家紋をモチーフに作られたといいます（二〇一四年には六度目のデザイン変更が成され、紋章の周囲を囲んでいた月桂樹が取りのぞかれました）。この頃まで米国は、ヨーロッパと比較すれば文明のレベルがまだ十分には高くなかったわけです。

T型フォードの革命

そこにきら星のごとく現れたのが、自動車王ヘンリー・フォードでした。
「恐れるべき競争相手とは、あなたのことなどまったく気にもかけず、ただひたすら自分のビジネスの向上に専念しつづける人間のことだ」
と、のちに言いはなった彼は、アイルランド移民の子として生まれ、十六歳のときにデトロイトで機械工の見習いとなります。その後、ジョージ・ウェスティングハウスや発明王トマス・エジソンが経営するエジソン照明会社などでエンジニアとしての経験を積み、一九〇三年にフォード・モーター・カンパニーを創業。一九〇八年、伝説となった名車T型フォード（Ford Model T）を世に送り出しました。

この頃の自動車はまだ富裕層向けの贅沢品で、米国人の平均年収が約六〇〇ドルだった時代に二〇〇〇ドル前後で売られていました。そこにフォードは、八二五ドルといった破格の低価格で殴りこみをかけます。まさにモータリゼーションの幕開け。一般庶民にもなんとか手が届く廉価な同型モデルは、翌年瞬く間に一万台を売りつくしました。当時の自動車製造台数が全米で約七万台だったことを考えると、驚異的な売上だったことがわかります。

T型フォードは安かろう悪かろうではなく、ボディには高張力のパナジウム鋼が採用され、遊星歯車が用いられた半自動方式のトランスミッションには、ビギナーでも簡単に運転ができる工夫が凝らされていました。

　販売台数が急増するにつれ、コスト削減と生産性の向上に重きを置いていたフォードは、一九一三年にベルトコンベヤーを使ったアセンブリライン（ライン生産方式）をミシガン州のハイランドパーク工場に採り入れます。熟練工が手がけていたフライホイールマグネットの仕上げを二九工程に分けたところ、それまで二〇分かかっていた作業を五分に短縮することができた。一台のシャーシの組み立て時間は十四時間からなんと一・五時間へ。結果的に販売価格を二六〇ドルにまで押し下げ、フォードは二一年には世界で製造される自動車の五七％をも占めるほどになっていました。

　この自動車製造におけるアセンブリラインの投入が、大量生産・大量消費時代の幕開けを告げます。貴族社会から大衆社会へ。民主主義を標榜する米国が世界を席巻し、二〇世紀が米国の世紀といわれる所以《ゆえん》です。そのアメリカ的なるものの発祥地が、ここデトロイトでした。

庶民向けとして人気を博したT型フォード

郵便はがき

切手をお貼りください。

102-0071

東京都千代田区富士見一―二―十一
KAWADAフラッツ一階

さくら舎 行

住 所	〒 都道府県		
フリガナ		年齢	歳
氏 名		性別	男 女
TEL	（ ）		
E-Mail			

さくら舎ウェブサイト www.sakurasha.com

愛読者カード

ご購読ありがとうございました。今後の参考とさせていただきますので、ご協力をお願いいたします。また、新刊案内等をお送りさせていただくことがあります。

【1】本のタイトルをお書きください。

【2】この本を何でお知りになりましたか。

1.書店で実物を見て　2.新聞広告(　　新聞)
3.書評で(　　)　4.図書館・図書室で　5.人にすすめられて
6.インターネット　7.その他(　　)

【3】お買い求めになった理由をお聞かせください。

1.タイトルにひかれて　2.テーマやジャンルに興味があるので
3.著者が好きだから　4.カバーデザインがよかったから
5.その他(　　)

【4】お買い求めの店名を教えてください。

【5】本書についてのご意見、ご感想をお聞かせください。

●ご記入のご感想を、広告等、本のPRに使わせていただいてもよろしいですか。
□に✓をご記入ください。　□ 実名で可　□ 匿名で可　□ 不可

反日感情を生んだ日本車の進撃

こうした自動車王国に無謀にも戦いを挑んだのが、一九七〇年代に世界第二位の経済大国へと躍り出た日本でした。日本の自動車メーカーはこぞって米国本土に大攻勢を仕掛けます。コンパクトで高性能、しかも低価格といった日本車は、七八年に起こった石油価格の高騰を受け、まさに生まれてはじめて低燃費に関心を向けた米国の消費者に受け入れられ、急激に売上を伸ばしていきました。七三年に約一二六八万台だった米国の自動車生産台数は、八二年には約六九九万台にまで落ちこみますが、七五年に米国の輸入車販売台数のうち、五一・八％を占めるようになった日本車は、八〇年には全米で販売されるすべての自動車のなかでのシェアを二一・二％にまで伸ばします。事実上、日本車が米国の自動車メーカーを倒産へと追いやったことになります。かつて「メイド・イン・ジャパン」は、低品質のコピー商品と蔑《さげす》まれていましたが、米国人の日本に対するネガティブ・イメージを一変させたのが自動車であり、家電製品でした。

とはいえ、「モーター・シティ」とまでいわれた車の都デトロイトにしてみれば、おもしろいはずがない。反日感情（ジャパン・バッシング）が高まり、街角で、イベント会場で、全米自動車労働組合（ＵＡＷ）のメンバーが、日本車をハンマーで叩き壊す光景が頻繁にテレビに映し出されました。

米政府も貿易摩擦の解決に乗り出しましたが、一度エコモードにシフトした消費者のニーズを変えることは叶わず、デトロイト市は衰退の一途を辿《たど》ります。二〇〇九年には失業率が全米五〇大都市のなかでも最悪の二五・〇%に達し、一三年七月にはついに連邦破産法第九条が適用され、過去最大規模の約一八〇億ドルもの債務を抱えて財政破綻に追いこまれてしまいました。

当時のデトロイト市内は、自動車業界が安価な労働力として雇い入れたアフリカ系米国人を中心に失業者で溢れかえり、犯罪率も高く、街そのものがゲットー化している印象がありました。低所得者層の居住エリアに足を踏みいれると、保険金目当ての放火によって焼け落ちた家屋があちこちに見られ、まるで〝戦場〟のような光景が広がっていました。

生まれかわりつつある自動車の街

デトロイト市が市街地の再生計画に着手したのは二〇〇八年のこと。連邦政府から約四七〇〇万ドルの補助金を得て「近隣安定化計画」に着手しますが、焼け石に水。富裕層の大量流出は市財政のさらなる悪化を招きました。

再生プロジェクトが本格的に動きはじめたのは十年ほど前に遡ります。グランド・トランク・レイルロード・ラインという鉄道の廃線跡地を市民が憩える緑地として生まれかわらせ、市郊外にあった自動車部品メーカーの広大な工場跡を改装し、ラッセル・インダストリアル・センターとしてさまざまなクリエーターの入居を呼びかけました。

こうした都市再生プロジェクトは、米国ならではの美徳でもあります。成功例としてはニューヨーク市の一大名所となっているハイライン（High Line）が挙げられます。一九八〇年に廃止された高架貨物鉄道跡を再利用し、二〇〇九年にオープンして以来、ニューヨークの一大名所ともなっています。ホイットニー美術館が位置するガンズヴォート・ストリートからハドソン・ヤードまでの約二・三三キロは、四季の花々と緑に囲まれ、現代アート作品も点在するなんとも心地よい空中公園に生まれかわりました。

ニューヨーク市が保有・管理するハイラインの注目すべき点は、そもそも二人の大学生が歴史的建造物を残したいと考えたことに端を発しているところです。すでに撤去が決定していたにもかかわらず市民からコツコツと寄付金を募り、のちにダイアン・フォン・ファステンバーグやデビッド・ボウイといった著名人が莫大な資金を寄付したことが、環境問題に熱心であったマイケル・ブルームバーグ市長を動かします。彼は撤去計画を撤回させ、五〇億円もの公園化予算を手当しました。ポイントは、単なる建造物保存に留まらず、再開発計画として付加価値の高いプランを提案したことにありました。

米国という国の凄みは、このように目的が明確であり、地域住民の賛同も得て経済波及効果が徹底的に算出された計画については、行政もシビアに、しかしながら冷静に精査し、裁可するといった自治体の姿勢にあります。市の公園管理局も、

「ハイラインは単なる公園ではなくアート」と見なし、資材の規格などあらゆる点において柔軟に対応し、この素晴らしい景観を実現させたといいます。

米国の栄光の歴史が刻まれたデトロイトには、いまだ復興のきざしは見えません。しかしながら再チャレンジを讃え、積極的にサポートするのも米国の美徳です。この街がまた輝きを取り戻し、世界の耳目を集める日もすぐそこまで来ているのかもしれません。

17－シカゴ◉イリノイ州
銃、ドラッグ、犯罪――絵に描いたような米国裏社会

暗黒街の誕生

クスリとマシンガンとアルコール。この三点セットがそろってはじめて犯罪組織は成り立ちます。山口組三代目組長だった田岡一雄《たおかかずお》は、かつて愛娘に、

「あのな、由伎《ゆき》ちゃん。人間てな、いや、男いうもんはな、弱いもんや。弱いから、さびしいから、一人でおられへん。そやから、みんなで集まって、うれしいことは大きくして、哀しいことは小そうしようとするんや」と語ったと伝えられています。これこそ暴力団の本質を突いた言葉でしょう。ギャングは、誰もがもつ闇を集めて早しシカゴ川。古今東西、生き様は変わりません。

イリノイ州シカゴといえば犯罪都市、といったイメージを抱く読者も多いことでしょう。お祭しの通り、シカゴの街を歩くにはストリート・ワイズ、サバイバル術を身につけていな

ければなりません。私も米国滞在中は、常に背後に注意を払っていました。一般市民でも銃器を所持している可能性が高い米国では、強盗も決して正面からは襲ってこない。ゆっくり近寄り、いきなり突き倒すのが常套手段です。

シカゴがマフィアの巣窟として名声を得たのは、一九二〇年に禁酒法（憲法修正第十八条）が施行されてからのことです。同法を逆手に取り、〝シカゴ・アウトフィット〟と呼ばれたマフィア組織は、密造酒の製造・販売で莫大な利益を上げます。とくに〝スカーフェイス〟の異名を取ったアル・カポネは、市議会議員や警察など官憲を根こそぎ買収し、暗黒街の顔役としてのしあがりました。彼は、

「優しい言葉だけよりも、優しい言葉に銃をそえれば、より多くのものを手に入れることができる」

と豪語していましたが、人々の恐怖心を自在に操ることで権力を手中に収めていきます。

やがて、映画『ゴッドファーザー』の主人公ドン・コルレオーネが「賭博は必要悪だが、麻薬は汚い商売だ」と、一貫して手を染めることを拒んだ麻薬が、米国社会を次第に蝕《むしば》んでいきます。一九三〇年六月には、禁止されていたアルコール飲料にかわり、クラブで振る舞われていた大麻を取り締まるべく連邦麻薬局が設立され、三七年にはアルコールに続いて大麻も非合法化されます。以降、麻薬の闇価格は高騰し、逆にマフィアの懐を潤すといった皮肉な結果を招きました。

禁酒法に代表される極端なまでに禁欲的な法制度は、米国の宗教観に起因しています。そもそもキリスト教には禁酒や禁煙といった徳目はなく、イエス・キリストでさえ敵対者からは「大食漢で大酒飲み」と非難されていたほどです（新約聖書マタイによる福音書十一章十八～十九節）。

また、カトリックの場合には、神父に自らの罪を懺悔《ざんげ》することで赦しを乞うことができますが、米国に渡った清教徒たち（ピューリタン）は、自らを律し「神にのみ栄光をささげる」といった考えから、禁酒、禁煙はもちろんのこと、観劇や行楽など「人生を楽しむこと」そのものを罪悪視する傾向がありました。まさに「ピュア（純粋）」な精神の持ち主だったわけです。

二〇世紀初頭には、天啓を受けたと自称する狂信的な女性キャリー・ネイションが、賛美歌を歌いながらまさかりをかついで〝魂の壊し屋〟であるバーに押し入り、酒瓶を次々と破壊して歩くといった驚くべき事件も起こっています。

手に入りやすくなったドラッグ

一九八〇年代に入ると、資本主義経済の法則に従い、あまりにも高価となったヘロインやコカインには手が出せない〝一般顧客〟向けに編み出された、純度の低いクラックやエクスタシー（ＭＤＭＡ）が市場を席巻し、麻薬中毒患者を爆発的に増加させていきます。

最近では、モルヒネの五〇倍もの効き目があり、中毒性も高い安価なフェンタニルや合成オピオイドが安価で流通しています。米疾病予防管理センター（ＣＤＣ）の国立衛生統計センターの調査報告によると、薬物の過剰摂取による死亡者数は、二〇二〇年に過去最多の年間九万三〇〇〇人を超えています。わが国の死因の第五位に位置する肺炎による死亡者数が九万四六五四名（二〇一八年）であることを考えあわせれば、米国における薬物汚染の深刻度がわかるというものです。

こうした危機的状況であるにもかかわらず、二〇一四年に、コロラド州が全米ではじめて嗜好品としての大麻の解禁に踏みきりました。それ以降、シカゴを擁するイリノイ州やマサチューセッツ州など現時点で十一州が大麻を合法化しています（医療用大麻は三〇州以上）。

当初は、合法化により闇市場の壊滅が見込まれていたものの、一六年に合法化され、一八年に解禁されたカリフォルニア州では、高率な州税が災いして正規の取扱店が一向に増えず、依然として約八割の大麻が闇ルートで取引されているともいわれています。大麻に向けられたポピュリズムの波がどのような結末を迎えるのか。いましばらく様子を見守る必要がありそうです。

ドラッグとマシンガン、そしてアルコール。これが米国の裏社会を彩ってきたと言っても過言ではありません。ドラッグの陰には銃があり、銃の陰には常にドラッグが見え隠れしています。

「武装する権利」を体現する銃社会

銃によって引き起こされた全米の事件を二〇一三年からネット上で追跡・公開している『ガン・バイオレンス・アーカイヴ（Gun Violence Archive）』によれば、二〇二〇年に銃器によって殺害された被害者は一万九四一人で、負傷者は三万九四九二人にものぼっています。内訳を見てみると、銃乱射事件による無差別殺人の犠牲者は六二人となっています。何人以上の死者が出れば乱射事件とするかに関する公式見解はありませんが、一三年の米議会調査部のレポートによると、容疑者を含まない四人以上が無差別に殺害されたケースと定義されています。

二〇一八年五月十八日にはテキサス州のサンタフェ高校で、十七歳の容疑者が生徒や教員に向かってショットガン（レミントンＭ８７０）を乱射し、十人が犠牲となり全米を震撼させました。

現在、全米には三億丁もの銃が流通しています。私もガンショップには何度か足を運んだ経験がありますが、拳銃からライフル銃に至るまで、さまざまなタイプの銃器が陳列棚にズラリと並んでいます。ちなみに一二年の段階でガンショップは、全米に五万一四三八店舗もあります（ファストフードチェーンストアのマクドナルドは一万四〇九八店にすぎません）。

また、銃はこれら専門店のみならず、小売り最大手のウォルマートでも購入することが可能です。

価格は新品か中古、その使用程度やメーカーによって異なりますが、一九八五年まで米軍が制式採用していたことから人気の高いコルト・ガバメント（M１９１１）でも一九九ドル（約二万円）程度で手に入れることができます。購入も身分証明書を提示し、アルコール・たばこ・火器及び爆発物取締局（ATF）へ送られる銃器引き渡し書に犯罪歴などを記入するだけで済むため、十分もあれば手続きは完了です。驚くのは、戦場以外ではどう考えたところで使途がないと思われるサブマシンガンやM16といった自動小銃（アサルトライフル）までが州によってはそろっていることです。

前述したアルコールに対する厳格な態度とは打って変わって、重火器に対する鷹揚な対応は、米国憲法が「人民が武装する権利」（修正第二条）を容認しているからにほかなりません。共和主義に基づき建国された米国では、連邦軍と官僚制は君主制を維持する悪しきシステムとして捉えられていたため、警察機構でさえ連邦政府下に置くことをよしとはしませんでした。圧政から人民を守り、社会秩序を維持するのは、人民そのものであるとの考えから、「民兵」という発想が生まれました。そのため人民が武器を携帯し、自らの生命と財産を守る権利を積極的に認めているわけです。

加えてこうした原理主義的な思想を後押しする全米ライフル協会（NRA）は、年間約三

○○万ドル（約三億四〇〇〇万円）もの予算をロビー活動に費やしているともいわれています。これだけ犯罪が増えても銃器を規制する〝刀狩り〟ができない理由が、ここにあります。

銃による殺人事件の実態

一方で、銃による自殺は二万三九四一人、〇歳から一一歳の幼児の銃の暴発も含む犠牲者が六九五人もいるといった事実を見過ごすわけにはいきません（二〇一九年）。

アーサー・L・ケラーマンらがオハイオ州など三州三郡でフィールドワークを行ったところ、一八六〇件の殺人事件のうち八八・八％が屋内で発生し、七六・八％が配偶者もしくは愛人、親族、友人といった顔見知りによる犯行でした。外部からの侵入者による殺人事件はわずか三・六％に留まっていたといいます（一九九三年）。

多くの家庭では護身用に銃を保管しています。外敵から家族を守ることがその理由とされていますが、現実は、夫婦げんかでカッとなってしまい銃を手にした、ドメスティック・バイオレンス（DV）を受けている被害者が、腕力ではかなわないためやむなく発砲した、といったケースが数多く報告されています。

また、子どもが玩具と思って遊んでいる間に誤射するといった悲惨なケースもあとを絶ちません。つまり米国の殺人事件の多くは、ニュース番組で取り上げられるようなセンセーショナルな通り魔的犯行ではなく、銃の所持者もしくは家族や知人によって引き起こされた家庭内不和が最大の原因となっているのです。ここに銃社会米国の闇があります。

現在のシカゴには、アル・カポネのように暗黒街を取り仕切る大立者はいなくなりました。しかしながら二〇一六年には、殺人事件による被害者は過去最悪の七六二人にも上り、その八八％が銃による殺害でした。シカゴは、冗談交じりに〝シラク〟（ＣＨＩＲＡＱ）と呼ばれることがあります。これは殺人事件による死亡者数（二〇一二年）が同年、イラクに派兵され死亡した米兵の数を上回ったことから名づけられたといいます。

シカゴの現在の主役はほかの大都市と同じくストリート・ギャングです。「ピープル・ネーション」という同盟の傘下には「ミッキー・コブラ」や「バイス・ロード」、「ラテン・キングス」といった三〇あまりのギャング組織が連なり、武器・麻薬の密輸入から密売までを手がけています。シカゴといえば犯罪都市。それはいまも、決して間違ったイメージではありません。

18－アリゾナ記念館◉ホノルル（ハワイ州）
真珠湾攻撃の戦死者が眠る海の墓標

真珠湾攻撃の悲劇の象徴、戦艦アリゾナ

「真珠湾を忘れるな（Remember Pearl Harbor《リメンバー・パール・ハーバー》）」は、米英語の常套句になっています。これは、日本の帝国海軍が一九四一年十二月八日未明にハワイ（当時は米国の準州）の真珠湾にあった米海軍の太平洋艦隊基地に奇襲攻撃を行い、太平洋戦争の火蓋が切って落とされたことに起因しています。

「裏切り行為」であるとか「だまし討ち」といったネガティブな意味で用いられていますが、八〇年近く経って、さすがに口にする人は少なくなり、若者の間ではすでに死語となりつつあります。日本における「鬼畜米英」と同じく、国威発揚を謳いつつも、人種差別的要素を多分に含んだ言いまわしであることはいうまでもありません。

戦後、日本が経済や産業、文化において米国の縄張りを脅《おびや》かすたびに、お約束のようにこのスローガンは顔を覗かせます。最近では二〇一七年十一月三日、ドナルド・トランプ前大

統領がツイッターで、

“Remember #Pearl Harbor, Remember the @USSArizona! A day I'll never foreget.（リメンバー・パールハーバー、リメンバー『アリゾナ』。私は決してこの日を忘れない）”とつぶやき、物議を醸しました。

この日、トランプ大統領はハワイのアリゾナ記念館を訪れ、犠牲者に献花、慰霊しています。日本を含むアジア歴訪の直前にハワイに立ち寄ったときのこと。それは、意識的に突拍子もない発言を行い、周囲を大慌てさせることで交渉を有利に進めようとする、彼お得意のジャブ、先制攻撃だったともいえるでしょう。

沈没した戦艦『アリゾナ』のうえに浮かぶアリゾナ記念館

戦艦『アリゾナ』は、一九一六年に就役した米国が誇る超弩級《ちょうどきゅう》戦艦でしたが、真珠湾攻撃によって大破、撃沈されました。乗組員一一七七名のうち一一〇二名が死亡したため、卑怯な日本軍を非難するシンボルともなっています。

米国立公園局が管理するアリゾナ記念館は、海底に沈んだ同艦の真上に浮かんでいます。一九六二年に建てられた白亜の館《やかた》は、八九年に国定歴史建造物にも指定されました。深さ約十二メートルの海底に眠る『アリゾナ』の船体にはサンゴが繁殖し、いまも〝アリゾナの涙〟と称される重油が漏れ出ていますが、米海軍が運航するボートに乗って毎日約四〇〇〇人もの観光客が訪れる同館は、米国人の間では人気の高いスポットです。

この真珠湾攻撃については、当時のフランクリン・ローズヴェルト大統領が事前に情報を得ていたにもかかわらず、厭戦《えんせん》気分が大勢を占めていた世論をひっくり返すために黙認した、といった陰謀説が根強く残っています。とくに、日本はやむなく戦争に引きずりこまれたと主張する人々の間では、いまも頑なに信じられています。

しかしながら、この説には裏付けがありません。そもそもこの陰謀論の出所は、ジョセフ・グルー駐日米国大使がペルー駐日公使から得た情報を元に奇襲攻撃の可能性を米国務省に打電。米太平洋艦隊司令長官ハズバンド・キンメル大将もこの事実を把握していたというものです。

第二次世界大戦への米国の姿勢

我々日本人の〝願望〟とは異なり、当時の米国の関心はナチス・ドイツが勢力を拡大する欧州にありました。じつのところ日本のことなど気にもかけていなかった。

私はかつて米国の大学に留学していた際、論文作成のために戦時中に刊行された米『ニューズウィーク』誌（米本土版）をはじめとするニュースメディアを丹念にリサーチした経験があります。巻頭記事の大半は欧州戦線の動向を伝えるもので、時折〝JAPAN〟の見出しがあれば、それは読者に「私たちはナチス・ドイツだけではなく、日本とも戦っている！」と、注意喚起する記事ばかりでした。

米国にとって第二次世界大戦は、あくまでも欧州各国をファシズムから救出する戦いであり、「極東の小競り合い」はバックヤード（裏庭）の出来事にすぎなかったのです。ローズヴェルト大統領は、ドイツとの戦いは覚悟していましたが、パールハーバー・ナショナル・モニュメントの軍事史家ダニエル・マルティネスが言うように、米国の陸海空軍力はいまほど強大ではなかったため、戦力が分散する二正面戦争はなんとしても避けたい、というのが本音だったようです（ＡＦＰ二〇一一年十二月五日付）。

また、米軍は日本の戦力を過小評価していたため、こうした極秘情報もまじめに検討されることはありませんでした。むしろ真珠湾攻撃における失態をバネに、米軍はその後、言語学や統計学、日本文化研究などさまざまな分野のエリートを総動員して暗号解読に取り組み、わずか半年後には日本海軍の作戦暗号の解読に成功し、ミッドウェー海戦で反撃に転じます。

当のキンメル大将は責任を問われて、真珠湾攻撃の九日後には大統領命令によって司令長官を解任されています（少将に降格）。一九九九年に米上院、翌年には下院でも名誉回復決議が採択されたにもかかわらず、いまだに大統領が署名していないことからも、日本海軍の攻撃を事前に察知できなかったことが米軍にとっては最大の〝汚点〟となっていることは明らかです。

真珠湾攻撃に対する米国民の恨みが緩和されたのは一九九一年十二月、『真珠湾攻撃五〇周年式典』に出席したジョージ・H・W・ブッシュ米大統領が、

「私はドイツに対しても日本に対してもなんの恨みももっていません。憎悪の気持ちなどまったくありません」

と演説し、「戦争は過去のもの」と説いたことが大きく影響しています。米国、とくにハワイにおける反日感情はこれを契機に急速に沈静化していきました。

日米関係の負の歴史を背負って

〝Remember Pearl Harbor〟と対をなすスローガンが〝No More Hiroshima, No More Nagasaki〟《ノーモア・ヒロシマ・ノーモア・ナガサキ》です。日本が戦争を仕掛けてきたのだから、広島・長崎への原子爆弾投下は戦争を終結させるためには致し方なかった。悪いのは日本軍であって米軍ではない、と主張する米国人は少なくありません。

しかしながら、この説にも戦勝国ならではのプロパガンダが見え隠れしています。広島では一九四五年八月六日に投下された原爆によって、爆心地から半径五〇〇メートル圏内にい

た約二万一六六二名の市民のほとんどが、わずか数秒間のうちに即死し、その年の終わりまでに十四万あまりもの尊い命が、けがややけど、原爆症によって失われていますが、その多くが非戦闘員でした。同じく長崎市でも、同年末までに七万三八八四人が死亡しています。

一方、真珠湾攻撃における戦死者数は米陸海軍と海兵隊をあわせて二三三四人。基地外の市街地における民間人死亡者は三七人とされています。死者数の大小ではなく、一方は戦闘員を対象とした宣戦布告なき攻撃で、もう一方は一般市民をも巻き込んだ無差別殺戮だったことは明らかです。

二〇二〇年にアリゾナ記念館で開催される予定であった『ヒロシマ・ナガサキ原爆・平和展』は、「調整がつかなかった」ため、会場を日本の降伏文書調印式が行われた戦艦ミズーリ記念館に移して行われました。戦艦『アリゾナ』の内部には、いまも約九〇〇人の遺体が残されており、生還した乗組員が戦死した友とともに眠ることを望めば、遺骨は米海軍のダイバーによって海底の艦内に収められるといいます。観光客でにぎわうハワイは、日米関係の〝負の歴史〟を背負う忘れてはならないスポットでもあります。

19－ペンタゴン◉ワシントンD.C.
米国は世界の警察官か、それともただのジャイアンか？

二つの世界大戦と米国

けんかとひと言で言っても、その作法はさまざまです。マウント・ポジションをガッツリ取る猛者《もさ》もいれば、相手のオウンゴールを引き出す試合巧者もいる。世界最強の軍事大国である米国は、独立戦争以降、戦時下ではなかった期間はほんのわずかしかありません。言ってみればけんか大将。常に戦争に明け暮れていました。

人民を二分した南北戦争と先住民族であるネイティブ・インディアンとの壮絶な戦い。いわゆるこれら内戦が終結した十九世紀後半から、米国は一転して、一八二三年にジェームズ・モンロー大統領が掲げた孤立主義（モンロー主義）を外交の基本とします。言ってみればインターバル。パンチの応酬に疲れはてた米国は、欧州列強の植民地や従属地には干渉しないかわりに、彼らの南北アメリカ大陸への進出は身を挺して排除すると宣しました。

要は、海外にまで出向いてドンパチするつもりはないが、裏庭でチャカつかれても面倒なので、南北アメリカ大陸で独立を果たした国々に対するプレッシャーは米国に対する非友好的な意向の表明と見なす、と釘を刺したわけです。英国やフランス共和国といった列強を打ち負かし、ようやく国家統一を成し遂げた矢先だったことから、ここは内政に専念させてくれと。

　そのため、第一次世界大戦では中立の立場を取った米国でしたが（開戦時の米国の軍事費は、ドイツの七分の一にも満たない約二億五三二〇万ドルで、世界第六位にすぎませんでした）、第二次世界大戦では英国、つまり旧宗主国に牙を剥いたナチス・ドイツを懲らしめるため、重い腰を上げざるを得なくなります。かつての敵国とはいえ、多くの米国民の祖国でもある欧州諸国を救うため、白馬に乗った正義の味方として参戦しました。返す刀で、背後でゴチャゴチャ騒いでいた極東の日本とやらにもお仕置きをした。

　圧倒的な物量と経済力とを背景に軍拡を推し進めた米国は、それ以来、自由と民主主義を守る「世界の警察官」といったレッテルを貼られます。こうなると、売られたけんかは買うしかなくなる。朝鮮戦争や東欧の動乱にも介入し、社会主義国の親分、ソビエト社会主義共和国連邦（旧ソ連）と対峙することにもなりました。

　いつの間にやらジャイアンに祭りあげられていた米国でしたが、あろうことかアジアの小国と舐めきっていたベトナム民主共和国（現ベトナム社会主義共和国）に敗戦を喫し、急速に士気は低下していきました。その後もアフガニスタン・イスラム首長国（現アフガニスタン・イスラム共和国）やイラン・イスラム共和国、イラク共和国といった紛争地に派兵しますが、第二次世界大戦で味わったような明確な勝利が得られることはついぞありませんでした。ドナルド・トランプ前大統領が打ち出した「米国第一」主義も、見方を変えれば内向き志向への揺り戻しといえるでしょう。米同時多発テロ事件を契機に火蓋が切られたアフガニスタン紛争も二〇二一年八月三〇日、駐留米軍の完全撤退により終結をみました。「九・一一」以降、対テロ戦における米兵の死者は七〇五二名、敵対した兵士は約三〇万人、巻き添えとなった一般市民の死者数は三六～三八万人にも上りました。八兆ドル（約八八〇兆円）もの巨費を投じて米国は、一体何を得たのでしょうか。

五角形に深い意味はない、国防総省

まさにヘビー級王者として君臨する米国の、中枢を担うのがペンタゴンです。ペンタゴンとは五角形という意味で、ヴァージニア州アーリントン郡にある米国防総省本庁舎の建物が正五角形であることから、この俗称で呼ばれています。

第二次世界大戦が口火を切った一九四一年、旧・陸軍省が手狭になることが予想されたため、ブレホン・B・ソマーベル陸軍大将の発案で、ペンタゴンは急遽九月から建設が始められました。ポトマック川にほど近いこの土地は、南北戦争時代、アメリカ連合国（南軍）の英雄ロバート・E・リー将軍の所有地だったといわれています。

上空から見てはじめて五角形とわかる巨大施設、ペンタゴン

戦時中ということもあり、一〇〇〇〇人の建築士と一万四〇〇〇人の職人が投入され、わずか十六ヵ月の突貫工事で完成にまで漕ぎつけます。二〇〇一年九月十一日、同時多発テロによってアメリカン航空七七便が西棟に激突し、一八九名の犠牲者を出した際にも、一年以内に修復を終えています。

不思議な形状をした建物には、軍事拠点であるだけに「5」にまつわる壮大な謎が隠されている？　と思いきや、なんのことはない。鉄道線路が五本引きこまれる計画だったことから五角形になった、という味もそっけもない理由でした。ただ、あまりにも巨大な施設であるため、上空から見なければ五角形であることはわかりません。のちの大統領ドワイト・D・アイゼンハワー陸軍参謀総長でさえ、敷地内で迷ってしまい自室に戻れなかったことがあると伝えられています。

国防総省（DoD）は、読んで字のごとく国防・軍事を統括する官庁です。米国では、内政問題に関しては政府よりも州に権限が与えられています。各州によって法律が異なるのもそのためですが、国家としての判断が求められる軍事と外交については、連邦政府にその責務が託されています。

カナダの国家予算を上回る軍事予算

「軍隊」をもたないわが国には、幸運なことにも軍事のプロがいません。そのため、なかなか軍隊という組織を理解できない。「矛《ほこ》」と「盾《たて》」といいますが、基本的に「攻撃」と「防御」の双方を担う戦力を保持していなければ「軍隊」は成立しません。よって専守防衛に特化し、実戦経験のない自衛隊は、言ってみればセミプロ・ボクサーのようなものです。ほんまもんのけんかでは、予想外の攻撃があり反則技も遠慮会釈なくくり出されるため、机上の空論では太刀打ちできません。

一方で「軍隊」は、「能力」と「装備」の両輪がなければ威力を発揮することはできません。最強の軍事大国とはどういったものなのか。何よりも数字を見ればその力は明らかです。

二〇二二会計年度の予算教書によれば、ＤｏＤの予算（裁量的経費）として七一五〇億ドル（約七八兆五〇〇〇億円）が議会に要求されています。一九七三年に制式採用されたＡ10サンダーボルトⅡ攻撃機や無人航空機ＲＱ－４グローバルホークを退役させることで経費削減は図られたものの、新技術の研究開発費は過去最高の一一二〇億ドルを計上。また、核抑止力を維持するための核兵器近代化にも二七七億ドルが充てられています。結果的に、Ｄｏ

Dの予算にエネルギー省の核兵器維持管理費などを加えた国防関連予算は、前年比一・七％増の七五三〇億ドル（約八二兆六〇〇〇億円）にものぼっています。

これは隣国カナダの二〇二一年度の連邦予算案四九七六億カナダドル（約四四兆円）のほぼ二倍に相当する規模です。つまり先進国の国家予算レベルの財源が国防費に費やされている計算になります。ちなみにわが国の自衛隊の防衛予算（二〇二〇年）は六年連続で更新されたとはいえ五兆三一三三億円に留まっています。まさに、その筋の者と中学校の番長ほどの実力差がある。

米政府の財政赤字が深刻化したのを受け、オバマ政権時に成立した予算管理法では、国防歳出を大幅に削減する規定を設けましたが、リベラルを標榜するジョー・バイデン大統領は前述のとおり、必ずしも大幅な国防費削減に踏み切るきざしは見られません。

また、二〇二〇年六月には「防衛宇宙計画」を新たに発表し、地上のみならず宇宙分野においてもロシアや中華人民共和国に対抗する姿勢を打ち出しています。次世代の戦争は、我々がイメージする兵士が機関銃を撃ちあうといったものではなく、宇宙空間をミサイルや衛星撃墜用レーザーが飛びかうスタイルとなっているでしょう。そう考えると、五角形のペンタゴンが何やら宇宙基地のようにも見えてきます。

20－ロスアラモス国立研究所◉ロスアラモス（ニューメキシコ州）
核兵器誕生の地の現在

荒涼とした大地で生みおとされた核兵器

一九四五年八月六日、戦時における人類史上はじめての原子爆弾が投下されました。焦土と化した広島の惨状を聞き知ったハロルド・ジェイコブソン博士は、その二日後に米『ワシントン・ポスト』紙上で、

「実験からは原爆を浴びた地域の放射能は、約七〇年は消えない。広島は七五年近く荒廃の地となるだろう」

と、広島不毛説を唱えました。彼は、原爆開発・製造計画「マンハッタン計画（暗号名）」に携わった物理学者のひとりでした。

「マンハッタン計画」が秘密裏に進められたロスアラモス国立研究所（ＬＡＮＬ）はニューメキシコ州北部、メサと呼ばれる標高約二二五〇メートルの岩丘に挟まれた渓谷エリアにあります。

中国地方最大の都市広島は、原爆の強烈な爆風と熱線により、一瞬にしてがれきの山と化しました。ロスアラモスへ向かう車中から見える赤土がむきだしとなった荒れはてた大地と、命の形跡さえ失われてしまった「グラウンド・ゼロ」の光景が、いやがうえにも重なります。

一九四二年にフランクリン・ローズヴェルト大統領が「マンハッタン計画」を決定したあと、機密保持のため、この辺境の地が大量殺戮兵器の出生地として選ばれました。

ロスアラモスの周辺にはサンタフェをはじめ、エスパニョーラ、アルバカーキなどスペイン語の地名が数多くあります。十六世紀半ばに、スペイン王国のコンキスタドールたちが先住民族であったプエブロ系部族の土地を力ずくで奪い去ったからにほかなりません。この土地に居を構えた彼らの末裔《まつえい》であるわずか二〇〇名あまりのメキシコ系入植者も、ロスアラモス研究所の建設に伴い、たった一日で強制移住させられています。

密命を帯びたLANLには、全米から二一人のノーベル賞受賞者を含むトップレベルの研究者やエンジニアら、のべ十二万人が集められ、約二〇億ドルといった巨費が投じられて原爆の開発・製造が進められました。

そのひとりが、LANLの初代所長となったニューヨーク生まれのユダヤ人ロバート・オッペンハイマーでした。「マンハッタン計画」において主導的役割を果たした彼は、ハーバード大学を経て、独ゲッティンゲン大学で博士号を取得。四三年からLANLの原爆製造開発チームを率います。

優れた理論物理学者であった彼は、ヘンリー・スティムソン陸軍長官とともに、日本への原爆投下を強硬に推し進めましたが、史上初の原爆実験を目の当たりにした刹那、核兵器開発に携わった己を心から呪ったと、後年、古代インドの聖典『バガヴァッド・ギーター』の一節「我は死神なり、世界の破壊者なり」（十一章三二節）を引用しつつ涙ながらに語っています。

世界初の原爆実験の様子

戦後、プリンストン高等研究所の所長となった彼は、アルバート・アインシュタインらとともに水素爆弾の開発に反対したため、連邦捜査局（ＦＢＩ）によって機密安全保持疑惑をかけられ、事実上公職追放の憂き目にあいます。〝原爆の父〟もまた冷戦に翻弄され、〝裏切り者〟の烙印を押されることとなりました（『ダンケルク』で知られるクリストファー・ノーラン監督の次回作の題材が、オッペンハイマーであることが発表されています）。

一九四五年七月十六日。LANLから南へ二一一キロほど下ったアラモゴルドにおいて、世界初の原爆実験が行われました。ホワイトサンズ・ミサイル発射場内にあるこの「トリニティ・サイト」には、高さ約三・六メートルの記念碑がぽつねんと建っています。パンフレットによれば、いまでも一時間あたり十五マイクロシーベルト、自然界の最大十倍の放射線が検出されているといいます。また、二〇一四年にはLANL内の三つの施設が「マンハッタン計画国立歴史公園」に指定されましたが、なぜか一般公開はされていません。

米エネルギー省に委託されたカリフォルニア大学およびテキサスA&M大学が管理するLANLには、現在も約一一〇平方メートルの敷地内に二二二四棟の建物が立ち並び、大陸間弾道ミサイルなどの核兵器開発や核テロを抑止する緊急支援隊の育成など、一万人以上の所員が最先端科学技術を用いた多岐にわたる研究に従事しています。

米国の核兵器戦略を担当する国家核安全保障局（NNSA）の局長であるリサ・ゴードン・ハガティは臆面もなく、

「トリニティは間違いなく史上最高の科学的実験だった」と、豪語してはばかりません。それは、取りも直さず米国の公式見解でもあります。

核軍縮と軍事産業

二〇二一年九月現在、この地球上に核兵器は九三八〇存在しています。米国務省の発表によれば、米国が保有している核兵器は三七五〇で、そのうち、七五〇が有事の際には数分以内に発射できる「高度警戒態勢」下にあります。

冷戦後、世界の核兵器の九割を保有する米ロ間の緊張緩和が進み、急速に核軍縮は進展しました。ジョー・バイデン大統領は二〇二一年二月三日、ロシアとの新戦略兵器削減条約（新ＳＴＡＲＴ）の延長に正式合意し、ひとまずバラク・オバマ元大統領が掲げた「核なき世界」を引き継ぎましたが、急ピッチで軍拡を進める中華人民共和国の存在が米国の抜本的な核軍縮の壁として立ちはだかっています。このように核を巡る世界情勢が再び不透明感を増しつつあるなか、従来の反核運動とは異なる、より現実的なアプローチも産声を上げています。

いうまでもなく、人類が営むありとあらゆる行為は、経済によって突き動かされています。戦争も平和も例外ではありません。私たちが暮らす資本主義社会において、これは避けては通れない厳然たる事実です。

軍事というものは、膨大な資金を要し、人間の果てなき欲望を喚起する、近代における花形産業です。事実、世界全体の軍事支出額は二〇一九年の段階で一兆九一七〇億ドルにものぼり、過去最高額を更新しています。こうした軍事支出の伸びを主導しているのは米国、中華人民共和国、インド、ロシア、サウジアラビア王国といった軍事大国の面々で、世界全体の六二％を占めています（ストックホルム国際平和研究所調べ）。

新型コロナウイルスによる影響のひとつが、各国政府は保健医療関連支出を中心とした「人間の安全保障（Human Security）」に対してもっと支出すべきだ、といった批判の声の高まりでした。パンデミックは貧富の差などおかまいなし。遠慮会釈なく襲いかかります。

なかでも、年間一〇〇〇億ドル以上が投資されている核兵器産業は、無駄な支出の筆頭格に挙げられています。そもそも使用する可能性がきわめて低い核兵器に、毎年何十兆円もの資金を投資するだけの意味があるのか、といったきわめて真っ当な経済感覚です。核兵器は、「使用しないために製造する」といった壮大なパラドックスを内包しています。一般家庭でも、もしものときにと買い置きしておいた食品を腐らせ、無駄にしてしまうことはよくある話です。

市場からの核軍縮運動

二〇一六年に核軍縮・不拡散議員連盟（ＰＮＮＤ）やバーゼル平和事務所が、核兵器予算の削減や核兵器製造に関与する企業からの投融資撤退を奨励する「ムーブ・ザ・ニュークリア・ウェポンズ・マネー（Move the Nuclear Weapons Money）」キャンペーンをスタートさせました。

軍事産業は、おもに国家予算によって賄われます。とはいえ、兵器開発製造会社も企業体である以上、金融機関から多額な融資を受けなければスムーズな経営は難しい。

そこに目をつけた同キャンペーンは、企業に対して核兵器産業から撤退し、その資金を貧困の撲滅や気候変動対策をはじめ、雇用の創出や福祉、教育の促進など、つまりは人間・社会・地球環境の持続可能な発展（ＳＤＧｓ）のために再配分するよう求めています。さらに、各国の金融機関に対しても、核兵器製造企業への融資を差し止めるように呼びかけています。

事実、こうした取り組みは功を奏しはじめており、二〇一七年以降、世界九四の金融機関が核兵器開発製造企業への投融資を停止したと報じられています。わが国でも、共同通信のアンケート調査によれば、三菱ＵＦＪ銀行や三井住友銀行、みずほ銀行といった三メガバンクをはじめ、十六行が核兵器を運搬するミサイル製造などに携わる企業への投融資を自制する指針を定めていると回答しています。

昨今は、コーポレートガバナンスが重要視され、公益性に配慮する企業でなければ、企業活動は厳しい時代となっています。こうした新たな時代を迎え、「非人道的兵器を製造するとは何事か」といった声が顧客から上がれば、企業イメージは損なわれ、融資が止められれば死活問題ともなり得ます。

少なくとも核兵器においては、遅かれ早かれ、情緒的な反核運動とは異なる経済的理由で削減が進むことが予想されます。市場原理が核兵器廃絶を主導する。原爆投下から七六年を経て時代は、確実に動きはじめています。

高学歴エリートが集まるだけに、ロスアラモスの平均世帯年収は十万六〇〇〇ドル以上と、シリコンバレーに迫る勢いです。一方でニューメキシコ州の失業率は七・二%で、ニュージャージー州などと並んで全米四番目の高さといった矛盾も抱えています（二〇二一年九月現在）。

やがて核抑止力が時代遅れとなったとき、ロスアラモス国立研究所もまた閉鎖の憂き目にあい、新たな住民に取ってかわられることでしょう。この荒廃したいわくつきの土地を、もしも望む者がいるならば……。

21－ラスベガス◉ネバダ州
カジノとショービジネスに支えられた眠らない街

街を開花させたギャングスターの伝説

「運を天に任せる」といいますが、人生は偶然の連続です。思い通りにいくことのほうが珍しい。受験でおさらいしたばかりの問題にぶち当たる、才色兼備またはイケメンの結婚相手とめぐりあう、自ら開発した商品がバカ売れする、親孝行の子どもが生まれる。いずれも〝大穴〟と呼べるほどのわずかな確率です。それだけに私たちは古来、〝偶然〟に魅せられ、その深淵を探ろうとしてきました。

ギャンブルも、そうした私たちの無駄な努力のひとつです。ある者はAI（人工知能）を駆使して勝率を上げようとする。またある者は神社仏閣に日参し験《げん》を担ぐ。こうした飽くなき欲望を、恥も外聞もなくさらけ出せるうえに、えも言われぬエクスタシーを与えてくれるのが、カジノという名の非日常空間です。

寄ってらっしゃい、見てらっしゃい。ネバダ州ラスベガスは、ギャンブルの都。ここではマッカラン国際空港の待合ロビーにまでスロットマシーンがずらりと並び、すってんてんになった観光客の最後の一ドルまでむしりとろうと身がまえています。散々痛い目にあっていながら「ここで当てて一発逆転だ！」と、思わされてしまうところがこの街の魅力であり、底知れない魔力でもあります。

ネバダ州が賭博の合法化に踏みきったのは一九三一年三月十九日。当初は鉱山労働者やフーバー・ダムの建設作業員が、なけなしの日銭を投じる片田舎の賭場にすぎませんでした。ところが一九四六年十二月二六日に〝バグジー〟の異名で知られるギャングスター、ベンジャミン・シーゲルが『フラミンゴ・ホテル』（現フラミンゴ・ラスベガス）を開業したことから、街の様相は一変します。

当初、マフィアは一〇〇万ドルの建設資金を提供しましたが、バグジーが造作に贅を尽くしたため、費用は六〇〇万ドルにまで膨れ上がります。満を持して華々しく開店してはみたものの、客の入りは散々。そのため翌年、彼はあっけなく何者かに殺されてしまいますが、皮肉なことに彼の〝伝説〟がひとり歩きし、その後、観光客が大挙して訪れるようになります。

五〇年代に入ると『デザート・イン』（現在は廃業）や『サハラ・ラスベガス』（現サハラ・ラスベガス・ストリップ・ホテル）といった大型ホテルが次々と開業し、カジノだけではなくエルヴィス・プレスリーやフランク・シナトラ、トム・ジョーンズといった超一流エンターテイナーたちが競って出演するショービジネスの中心地へと変貌。飲む、打つ、買うは当たり前。ラスベガスは、欲望の街の代名詞となっていきます。

一九五九年にはカジノ・ライセンスを管理監督するゲーミング管理委員会（ＧＣＢ）が組織され、非合法組織の排除やマネーロンダリングに対する取り締まりが強化され、表向きには、マフィアはラスベガスから姿を消します。航空・映画産業で巨万の富を築いた実業家ハワード・ヒューズが、ネバダ州知事グランド・ソイヤーを通じて同委員会に働きかけ、大手企業のカジノホテル参入の道筋をつけたといわれています。こうしたマフィアとの暗闘ぶりは、実話に基づいた映画『カジノ（Casino）』（一九九五年）に生々しく描かれています。

人嫌いで知られたヒューズは、『デザート・イン』の八階全フロアと九階のスイートルームに長期滞在し、電話一本で買収を進め、ラスベガスのカジノホテルの約四分の一を手中に収めたともいわれています。上客専用のスイートルームに閉じこもっていたヒューズに対して、ホテル側がほかの部屋に移るようすすめたところ、問答無用で同ホテルを丸ごと買収しオーナーに収まります。このエピソードは、札束だけがものをいうラスベガスならではの逸話として、いまも語り草となっています。

九〇年代に入るとラスベガスは、ギャンブル依存の体質から脱却すべく、ファミリー層でも楽しめる一大エンターテインメントの街へと進化を遂げます。それまでのラスベガスには

ホテルの前の噴水ショーが有名な『ホテル・ベラージオ』

似つかわしくないローラーコースターが『サハラ・ラスベガス』に、『MGMグランド・ホテル』にはモノレールや遊園地がお目見えしました。

当時、世界最大のエンターテインメント集団として人気を博していたシルク・ドゥ・ソレイユも、『ホテル・ベラージオ』でロングランとなり、一一〇〇万人以上の観客動員数を誇る『O《オー》』の上演を一九九八年からスタートさせています。このショーのために同ホテルは総工費約一〇〇億円をかけて舞台下に巨大な水槽（プール）を造営し、コンピューター制御のセットを擁した専用劇場を作りあげました。

カジノの上客「ウェール」

「ハイ・ローラー（Hight Roller）」と称される人々がいます。カジノの街ラスベガスで、一度の滞在中に大金を賭ける（または溶かす）富裕層を指すスラングです。ハイ・ローラーにもランク付けがあり、最上級クラスの顧客はクジラを意味する「ウェール（Whale）」と呼ばれています。一億〜五億円のバンクロール（カジノ資金）を用意し、一回のベット（賭け金）が五〇〇〇万円にものぼるいわゆる〝上客〟です。この呼び名は、クジラがひと口で何百匹もの小魚を飲みこむことに由来しています。そのなかでも、トップクラスの約二〇〇名には「メガ・ウェール（巨クジラ）」なる〝称号〟が冠されています。バンクロールは十億円以上、カジノの売上どころか金融市場をも左右する〝億万長者のサークル〟ともいえるでしょう。

大手カジノ運営会社にとって、一般庶民は固定費を賄う程度の存在にすぎず、これらウェールを獲得することが至上命題であり、熾烈《しれつ》な争奪戦がくり広げられています。

そのためウェールには、さまざまな特別待遇が供されます。彼らの大半は言わずもがな、プライベートジェットを所有していますが、ひと声かければいつでも、カジノホテルが所有するプライベートジェットやロールスロイス製のリムジンが、世界中どこであろうと馳せ参じ、宿泊は専用のスイートルーム。いかなるリクエストにも〝NO〟とは言わないコンシェルジュと専属シェフ、ボディーガードが待機しています。もちろんすべてはホテルからの贈り物、無料サービスです。

カジノでは、一般客向けのカジノフロアとは隔絶された、各人の名前が刻印された専用テーブルが用意されたハイリミット・ルームに案内されます。政治家や財界人をはじめ、ハリウッド俳優やプロスポーツ選手といったセレブが名を連ねているだけに、プライバシーは完全に守られ、部屋から誰とも顔を合わせることなく移動することができます。

カジノで一度に賭けられるミニマム・ベットは五ドルから始まり、マキシマム・ベットは三〇〇〇～五〇〇〇ドルに設定されています。一方、「メガ・ウェール」の場合、賭け金の上限は十万ドル。一〇〇〇万円が目安となりますが、それ以上の金額を賭けたければマネージャーの判断で上乗せすることも可能です。

資本主義経済の根源的な欠陥は、人々の欲望にゴールが設定されていないことにあります。すごろくでいえば「あがり」がない。また、「投機」ほど魅惑的なマネーゲームはありません。眠らない街ラスベガスは、合法的に人々の果てない欲望を満たし、見果てぬ夢を喰らいながら増殖を続けてきました。

アジアの台頭とラスベガスの変容

しかしながら今世紀に入ると、「メガ・ウェール」の過半数は中国人富裕層やアジア人に占められるようになります。チャイナ・マネーを背景に、マカオ、シンガポールが急速に存在感を増し、ラスベガスの牙城の切り崩しにかかります。

例えば日本のＩＲ（統合型リゾート）への参入を断念した米大手ラスベガス・サンズは、ラスベガスでは『ザ・ベネチアン』と『ザ・パラッツォ』の二施設、マカオでは『ザ・パリジャン・マカオ』、シンガポールでは『マリーナベイ・サンズ』を運営していますが、ラスベガスの売上高は一八五五億円、シンガポールは三三九六億円（二〇一六年）、マカオのカジノホテルに至っては二〇一七年上半期だけでも四〇四〇億円を叩き出しています。マカオの総売上高は、いまやラスベガスの約三倍にものぼり、カジノの主戦場は完全にマカオへと移りました。

ラスベガス観光局の調べによると、ラスベガスへの訪問者数は年間で四二九四万人。うち、海外からの訪問者は五七〇万人で、宿泊施設は約十四・九万人分の客室数があり、ホテル稼働率は九〇・八%といった高率を維持しています。

しかしながら世界一のカジノの座をマカオに譲ったことで、ラスベガスは総合的なエンターテインメント・シティへの道を模索しています。その結果、ラスベガス訪問の目的は、カジノが四%、国際会議や見本市といったＭＩＣＥ《マイス》が一〇%、余暇が五二%と大きな変容を遂げています（二〇一六年）。

ストリップと呼ばれる目抜き通りには、四六のカジノホテルが集中しています。ちなみに米英語でストリップ（Strip）といえば、「大通り」を意味します。魅惑的なダンサーが一枚、一枚、服を脱いでくださるあのストリップとは異なります。とはいえ、身ぐるみ剝がさせる、といった点では似たようなものです。

ラスベガスという街の有為転変《ういてんぺん》は、米国流資本主義の合わせ鏡といえるでしょう。新型コロナウイルスの感染拡大により、二〇二〇年四月には全米九八九ヵ所のカジノがすべて閉鎖され、六月に再開したもののネバダ州のカジノ収益はほぼゼロにまで落ちこみました。これを契機にカジノホテルは〝地上戦〟から〝空中戦（オンラインギャンブル）〟へと大きく舵を切りました。「投機」と「投資」をくり返しながらも、カジノチップの山で築かれた砂上の楼閣が再び、蜃気楼の彼方へと消えていくのも、そう遠い日の話ではないかもしれません。

22－ロズウェル◉ニューメキシコ州
くり返されるUFO目撃情報、終わらない神話

未確認飛行物体へのあこがれ

ＵＦＯといえば、何を思い浮かべるでしょうか。もちろんカップ焼きそばではありません。未確認飛行物体のことです。いまやＵＦＯ（Unidentified Flying Object）は死語に近く、とんがったＳＦマニアは「ＵＡＰ」（Unidentified Aerial Phenomena：未確認空中現象）を好んで用いています。

ＵＡＰとは、米海軍の定義によれば「軍事統制訓練範囲の空域に侵入した未承認もしくは未確認の航空機または物体」となりますが、なんのことはない。ＵＦＯと同じく「どこから飛んできたのかわからない得体の知れないもの」という意味です。

そもそもＵＦＯや宇宙人は、私たち人類の想像の産物です。この広大な宇宙に生物は存在しない、と言いきるほど非科学的な態度はありません。しかしながら、なぜか映画やマンガなどで描かれる宇宙人は、人類と同じように手足を持ち、目もふたつ。イケメンはただの一

人もいない。知的生物であれば、より洗練された体つきやルックスを備えていてほしいものです。

ＵＦＯの形状もしかり。我々の想像するＵＦＯは、もはや民俗資料館でしかお目にかかれない、お釜のようなアダムスキー型やら、禁煙の拡がりとともに姿を消した葉巻型など。高度な文明を有しているのであれば、宇宙船はもう少し合理的かつ洗練されたスタイルになっているはずです。

ＵＦＯブームは、一定のサイクルで立ちあらわれます。ＵＦＯの存在がはじめてクローズアップされたのは一九四七年七月。ニューメキシコ州ロズウェルの地元紙『ロズウェル・デイリー・レコード』（七月八日付）が一面トップで、「ＲＡＡＦ（ロズウェル米軍飛行場）が、ロズウェル地域の牧場で空飛ぶ円盤を回収」と、報じたことがきっかけでした。

米陸軍航空局の報道官ウォルター・Ｇ・ハウト中尉が同日発表したプレスリリースにも、墜落した物体は空飛ぶ円盤（Flying Disc）と記されていたため（翌九日になって「気象観測用気球」に訂正）、人口五万人にも満たない小さな村は上を下への大騒ぎ。一躍、世界の注目を集めることとなりました。

ＵＦＯが墜落したとされる地点は、ロズウェルから北西方向に三〇〜四〇マイル離れた平原で、四分の三マイル四方に紫色に輝く金属製の破片がいくつも散乱していたといいます。

第一発見者となった牧場主のウィリアム・ブレイゼルはのちに、

「残骸が落ちていた周辺には、深さ数一〇〇フィートの浅い穴がたくさん開いていた」

と、熱く語っています。

そのわずか二週間ほど前の六月二四日には、ワシントン州にあるレーニア山付近を自家用機で飛行していたケネス・アーノルドが、高度二九〇〇メートル付近で九個の飛行物体に遭遇し、記者会見で、

「それらは水面を跳ねるコーヒー皿（ソーサー）のような飛び方をして高速で飛び去った」

と、こちらもまた熱っぽく証言しています。これが「ソーサーのような飛行体（Flying Saucer）」と誤って伝えられたことから「空飛ぶ円盤」と名づけられました。このケネス・アーノルド事件とロズウェル事件が発端となり、ＵＦＯの目撃証言はその後、世界各地から相次いで報告されることとなります。

国際UFO博物館・リサーチセンター

ロッキー山脈の東側に位置するグレート・プレーンズ（Great Plains）は、その名が示す通り見渡す限りの大平原です。コンビニどころかガソリンスタンドも公衆トイレさえない。回転草（Tumbleweed）と呼ばれる枯れ草の塊をのぞけば、視界を遮るものなど何ひとつない殺伐とした光景が果てしなく続きます。ロズウェルは、そうした〝文明から忘れ去られた

土地〟にある限界集落のひとつでした。

交通量が皆無に等しい国道二八五号線と三八〇号線の交差点に『国際UFO博物館・リサーチセンター』は、ポツンと立っています。一九九一年、陸軍を退役したハウトと、八九年に「ロズウェルの基地内で異星人の死体解剖が行われていた」と〝証言〟したグレン・デニスによって、この博物館は設立されました。

年間十八万人ものUFOマニアが訪れると聞けば、どうしても映画『E.T.』や『未知との遭遇』にあやかった派手なプレゼンテーションやアトラクションを想像してしまいますが、なんのことはない。閉鎖された映画館を自前で改装したこの博物館は、驚くほど慎ましい造作となっています。

たった五ドルの入場料を支払い、ひんやりとした館内に足を踏みいれると、高校の文化祭を思わせる手作り感覚溢れる宇宙人の人形やUFOの模型が出迎えてくれます。壁にはUFO関連の新聞記事や、お世辞にもうまいとはいえない絵画が掲げられていますが、取り立てて貴重な資料があるわけではありません。ここでUFOマニアが〝遭遇〟するのは、空飛ぶ円盤の残骸でも宇宙人の死骸でもなく、村人たちのつたないながらも熱い〝村おこし〟に賭けた情熱ともいえるでしょう。

UFOを生み出した不安定な世界情勢

UFOがはじめて目撃された一九四七年の三月十二日、ハリー・S・トルーマン米大統領が「トルーマン・ドクトリン」を発表。米国は孤立主義と訣別し、共産主義封じ込め政策へと舵を切りました。一方、ソビエト社会主義共和国連邦（旧ソ連）は、共産党の連携強化を目的に同年コミンフォルム（国際共産党情報局）を設立。奇しくも、冷戦時代の幕が切って落とされた年にあたります。

「UFO騒ぎ」は、こうした緊迫した世界情勢の落とし子だったといえるでしょう。第三次世界大戦の勃発が真顔で論じられるなか、人々は地球外生物といったファンタジーに酔いしれ、現実逃避を試みました。

当初、宇宙人（Space man）は、高度な科学文明を有する友好的な存在として描かれていました。茫洋たる不安感から救出してくれる正義の味方スーパーマンです。ところが冷戦が深刻化するに従い、宇宙人はエイリアン（Alien）と名を改め、地球征服を企む残忍な仮想敵へと姿を変えていきます。

ロズウェルについて書かれたはじめての書籍『ニューメキシコに墜ちた宇宙船――謎のロズウェル事件（*The Roswell Incident*）』が八〇年に刊行されると、ロズウェルは陰謀論者の関心も集め、再び脚光を浴びます。また、ミレニアム直前の九九年には、この村を題材にした米テレビドラマシリーズ『ロズウェル――星の恋人たち（*ROSWELL*）』も放映されました

（視聴率低迷につきシーズン3であえなく打ち切り）。

ロズウェル事件の舞台となったウォーカー米空軍基地は、米国最大の戦略航空軍団基地として知られていましたが、六七年に閉鎖され、ロズウェルは唯一の地域産業を失っていました。解雇された父ちゃんや兄ちゃんを救うべく、村人たちは一も二もなくUFOブームに飛びつきます。

博物館のミュージアムショップには宇宙人をあしらったTシャツやマグカップがところ狭しと並べられ、目抜き通りには『銀河系寿司（Galactic Sushi）』があるかと思えば、UFOを模したマクドナルドの店舗もあります。モーテルには「宇宙人歓迎！」の文字が躍り、そこここにレチクル座ゼータ星からやってきたとされる、大きな黒い目をした小柄な宇宙人「グレイ」や円盤型のUFOを描いたグラフィティも見ることができます。NHK大河ドラマのロケ地になると、とたんにお土産のバリエーションが増えるのと同じ現象です。それでも、UFOの聖地というよりはひなびた温泉街を思わせるロズウェルの街並みが、人波で溢れることはついぞありませんでした。

UFOの最新情報

二〇二〇年四月二七日、米国防総省はUAPを捉えた三種類の映像を公開し、世界のUFOマニアを狂喜乱舞させました。これらの映像は、訓練飛行中だった米空軍戦闘攻撃機（F-

18）が赤外線カメラを用いて二〇〇四年（サンディエゴ近郊）と二〇一五年（大西洋沿岸）に捉えたもので、そのうちの二つはすでに二〇一七年に『ニューヨーク・タイムズ』紙によって報じられていました。

公開された理由は、単にこれら映像の機密扱いが解かれただけの話なのですが、これを契機にまた思い出したかのようにＵＦＯ目撃情報が急増することでしょう。ロズウェルにも再び、世界の耳目が集まるかもしれません。

地球外知的生命体による宇宙文明を探査する国際的プロジェクト（ＳＥＴＩ）の重鎮であるＳＥＴＩ研究所ＳＥＴＩ研究部門のジル・ターター名誉会長が、

「われわれは長年にわたり、疑似科学やＵＦＯから距離を置くことに多大な時間を費やしてきた」

と前置きしながらも、探査機器の飛躍的向上により、

「今日では、以前よりもはるかに信憑性が増している」

と述べたことから（ＡＦＰ二〇一九年十月三〇日付）、ＵＦＯ神話がまた息を吹き返さないとも限りません。

全世界を襲った新型コロナウイルスは、まさに全人類の敵。不確実な時代を迎え、スピリチュアル系ではなくとも、救世主の存在は信じたいところです。ちなみにＵＦＯが墜落したとされる地点は、じつはロズウェルよりも「コロナ」村のほうがはるかに近かったことは、

あまり知られていません。

23－ケネディ宇宙センター◉メリット島（フロリダ州）
次なるフロンティアは宇宙！　その先にあるのは戦争か、それとも平和か

『ディスカバリー』打ち上げ成功、宇宙計画への復帰

「…3、2、1、アンド、リフトオフ！（3, 2, 1, and, lift-off!）」

スワンプと称されるフロリダ州特有の広大な湿地帯に設置された発射台。有人宇宙船スペースシャトルの三基のメインエンジンから放射された強烈な閃光が周囲を明るく照らし出し、やがて大地を揺るがす轟音が数キロ離れたプレスサイトにまで響きわたる。これまで経験したことのない唸るような振動が、足元から全身に伝わりました。

「リフトオフ・オブ・アン・アメリカ・リターン・トゥ・ザ・スペース！（Lift-off of an America return to the space!）」

一九八八年九月二九日午前十一時三七分。それが、有人宇宙船スペースシャトルの打ち上げを、私が現地ではじめて目撃した瞬間でした。全世界から集まった報道陣は、固唾《かたず》をのんで白く輝く船体を見つめています。

実際はほんの数秒たらずの出来事でしたが、巨大な外部燃料タンクと二本の補助ロケットを抱いた総重量二〇〇〇トン（うち、一八〇〇トンが液体・固体燃料）の『ディスカバリー』（STS–26）は、ゆっくりと上昇し、推進力を得るとみるみる速度を増し、澄みわたった青空へと、白煙を残して吸いこまれていきました。

打ち上げ成功。その瞬間、周囲を見渡すとシニカルが売り物の記者たちでさえ、ひと言も発することなく一様に涙を流していたのが印象的でした。

リフトオフから約二分後、ブースターを切り離し米粒大となったオービター、つまりシャトルを見届けると、誰からともなく握手を求め、抱き合い、笑顔を交わしはじめました。それは、人類の叡智が結集した奇跡の瞬間に、ひとりの人類として立ち会えたという感動の発露であったように思います。

その二年八ヵ月前の一九八六年一月二八日、『ディスカバリー』と同じくケネディ宇宙センターから打ち上げられた『チャレンジャー』（STS–51–L）は、打ち上げから七三秒後に空中分解し、ハワイ州出身の日系三世エリソン・S・オニヅカ飛行士を含む七名の乗組員は帰らぬ人となっていました。

打ち上げ失敗。私はこのときの様子を、インターンをしていたフィラデルフィアのローカルテレビ局の報道フロアで目撃しています。

「オー・マイ・ゴッド……（Oh, my God.....）」

ニュースキャスターをはじめ、プロデューサーやタイムキーパー、その場にいた全員が言葉を失い、米航空宇宙局（ＮＡＳＡ）から送られてくるスペースシャトル計画初の大惨事を映し出すライヴ映像に呆然と見入っていました。

数分後、番組は急遽「特別報道番組」に切り替わり、報道局のスタッフは総出で情報収集に駆けずりまわることとなります。私は、命じられるがままに過去のシャトルの映像を探しにアーカイブへと走りました。

多くの米国人にとっていまでも『ディスカバリー』の打ち上げは、米国が悲劇を乗り越え、宇宙開発に〝復帰〟を果たした象徴的な出来事として記憶されています。

有人飛行への挑戦

有人宇宙輸送システムとして起ちあげられたスペースシャトル計画は、一九八一年に『コロンビア』が宇宙空間へ初飛行して以降、一三五回ものフライトを成功させてきました。米国の有人飛行はマーキュリー計画がその嚆矢《こうし》です。一九六一年四月にソビエト社会主義共和国連邦（旧ソ連）が『ボストーク1号』でユーリー・ガガーリン少佐を世界ではじめて宇宙空間へ送り出したことに対抗して、翌月『レッドストーン3号』（MR-3）が打ち上げられました。搭乗したアラン・シェパード宇宙飛行士は、弾道飛行時間十五分二二秒を記録し、のちに『アポロ14号』の船長として四七歳という最高齢で月面に降り立つと、ゴルフを披露するといったパフォーマンスでも名を馳せました。

宇宙飛行において「有人」か「無人」かは、野球に例えればリトルリーグとメジャーリーグほどの違いがあります。「有人」の場合には、乗組員を安全に地上へ帰還させることが絶対条件となります。そのため、運航技術のみならず宇宙空間における生体の生命維持はもちろんのこと、健康や心理状態の管理、果ては排便のノウハウに至るまで、ありとあらゆる最先端技術と学問的知見が総動員され、天文学的な予算を必要とします。

テキサス州にあるヒューストン宇宙センターで取材に応じてくださった日本人初の女性宇宙飛行士の向井《むかい》千秋《ちあき》氏（現　東京理科大学特任副学長／スペース・コロニー研究センター長）が、

「人一倍健康な宇宙飛行士であっても、宇宙空間では地上の一〇倍ぐらいのスピードで骨量が減少するため、これを予防する骨粗しょう症の薬を服用していますが、こうした予防医学が生理的対策。次に宇宙空間における放射能被曝のリスク管理ですね。また、長期にわたる閉鎖隔離環境での精神心理支援も欠かせません」

と言うように、有人飛行は科学技術の粋を集めた大いなる挑戦となります。

フロンティア・スピリッツで宇宙を目指す

米ソは冷戦時代を迎え、軍拡のみならず宇宙開発においても熾烈な競争をくり広げましたが、一九六九年七月二〇日に人類を史上はじめて月面に立たせることに成功した『アポロ11号』の快挙により、一応の決着を見ます。米国は、『アポロ17号』を最後に月面着陸を休止しますが、この地球から約三八万キロも離れた衛星への旅には特別な意味が込められていました。

米国は建国以来、フロンティア・スピリッツを国是としてきました。欧州から大西洋を渡ってきた移民たちは西へ、西へと漸進し、先住民族であるネイティブ・アメリカンを駆逐し、未開の地を開拓していきます。東海岸からミシシッピ川を渡り、ロッキー山脈を越えて西海岸へ。この個人の力で道を切り開くといった開拓者精神が、米国独自の民主主義を育てたといわれています。

こうした西部開拓史は一八九〇年の国勢調査に記された「フロンティアの消滅宣言」で終わりを告げます。無邪気で粗野でありながらもエネルギーに満ちあふれた開拓魂が潰《つい》え、米国は大きな曲がり角に立たされました。二つの世界大戦を経て、やがて米国はアジアへ本格的に進出し、フロンティア・スピリッツは拡張主義へと変質していきます。

戦後、迷走を続ける米国を救済したのがジョン・F・ケネディ大統領でした。一九六一年五月二五日、彼は『国家的緊急課題に関する特別議会演説』と題された四五分にも及ぶスピーチを行い、議会に対して有人月面着陸計画を提示します。その翌年の九月十二日にライス大学で披露した一般向け演説のなかでケネディ大統領は、

「我々はこの六〇年代が終わる前に月へ行く。それが容易ではなく困難であるがゆえに。その目標により、我々の力と技術の粋はひとつに集められ、その目標はそれらを評価する助けになるがゆえに。また、その挑戦は、我々が受け入れることを欲し、延期することを厭《いと》うところのものであるがゆえに。そして我々が、その挑戦に勝つつもりであるがゆえに」

と、その意義を説いています。

当時、米ソは大陸間弾道弾（ＩＣＢＭ）の開発競争にしのぎを削っていました。ミサイルとロケット本体の開発は、表裏一体で進められましたが、有人月面着陸を目指すアポロ計画では、必ずしも軍事転用には適さない技術も幅広く用いられたことは注目に値します。

ケネディ大統領は特別議会演説で、米国の基本原則を「自由」と定義します（フリーダム・ドクトリン）。米国は世界が直面している不正義や暴政に立ち向かい、すべての国々の独立と平等のために戦ってきた。それはこれからも変わらない。つまり宇宙開発という最先端技術の開発競争に勝利することで、米国をはじめとする自由諸国の優位性を示し、世界の国々を軍事力ではなく「自由という名の大義」によって引き入れる。ソフト・パワーによって社会主義勢力の分断を図ったともいえます。

フロンティアの前線基地、ケネディ宇宙センター

ケネディ宇宙センターも、そもそもは一九四九年にハリー・S・トルーマン大統領がケー

数々のロケットの展示などもあり、観光地としても人気のケネディ宇宙センター

プカナヴェラルのメリット島にあった米海軍の航空基地に、長距離ミサイルの発射実験用の統合長射程試験基地の設置を命じたことから生まれています。その後、ケネディ大統領が暗殺された一週間後の六三年十一月二九日に、彼の名を取って現在の名称に改められました。

スペースシャトル計画もまた、NASAと米国防総省が共同で一九六九年に提案したレポート『宇宙輸送船の開発について』がその出発点となっています。事実、スペースシャトルの直接経費の約六分の一は国防総省が負担し、フライトの約二五%が写真・電子偵察衛星の打ち上げといった軍事目的であったといわれています（これまで打ち上げられた全人工衛星の約六割は軍事目的です）。

二〇二〇年五月三〇日、ケネディ宇宙センターから米宇宙開発民間企業スペースXが製造した宇宙船『クルードラゴン』が打ち上げられました。二名の宇宙飛行士を乗せた有人飛行は、スペースシャトル計画を九年前に中止して以来の快挙となりました。これに続いて同年十一月十六日には、野口聡一《のぐちそういち》宇宙飛行士を含む四名を乗せた『クルードラゴン』が国際宇宙ステーション（ＩＳＳ）へ向かいました。

それまでＮＡＳＡは、ロシアの宇宙船に便乗する形でＩＳＳへ人員を運んでいましたが、今後は同社や航空機大手ボーイング（CST-100スターライナー）など民間企業が参入し（コマーシャル・クルー・プログラム）、宇宙飛行のバトンは「官」から「民」へと渡されていくこととなります（スペースＸはＮＡＳＡからすでに六件、二六億ドルの有人宇宙飛行計画を受注しています）。

現在、九〇〇〇万ドル（約一〇〇億円）にまで跳ねあがっている宇宙空間への往復料金は、やがてコストダウンが図られ、私たち庶民が正月休みを宇宙で過ごす、といった時代も遠からずやってくるでしょう。先々日本でも、「新婚旅行は種子島宇宙センターから！」といった商品が売り出されるかもしれません。

一方で、この数年間で米中ロをはじめとする各国の宇宙空間への軍事的アプローチも活発化しています。米国は二〇一九年に宇宙軍を「第六の軍」として創設し、宇宙空間における安全保障の確保に踏みきりました。こうした組織は、ウルトラマン・シリーズに登場する地球防衛軍のように外敵から地球を守るためではなく、地上の争いを宇宙空間に移すためと考えられています。現時点で宇宙軍が保有する攻撃的な兵器は、衛星電波妨害装置のみですが、やがて極超音速（ハイパーソニック）兵器や対衛星攻撃（キラー）兵器などが軍事衛星に装備されることとなるでしょう。

ケネディ宇宙センターは米国にとって、フロンティアへのゲートウェイとして機能してきました。今世紀、ここがニュービジネスを生み出す拠点となるのか、それとも無人攻撃機が飛び立つ軍事基地となるのか。新たなカウントダウンはすでに始まっています。

24―プエルトリコ自治連邦区◉カリブ海

貧困にあえぐカリブの小島、五一番目の州に昇格なるか

『ウエスト・サイド物語』に見るプエルトリコ

アメリカに住むのが好き
アメリカに住めて私は満足
だってここでは　何だって自由なんだもの

これは、名作ミュージカル『ウエスト・サイド物語』の劇中歌「アメリカ」のサビの部分です。ブロードウェイで一九五七年に初演された同作は、舞台ではトニー賞を、六一年に公開された映画では作品賞をはじめアカデミー賞十部門を総なめにしました。二〇二一年には名匠スティーヴン・スピルバーグ監督による再映画化も実現し、日本でも人気の高い作品ですが、その社会的背景については意外に知られていません。

『王様と私』や『屋根の上のバイオリン弾き』といった大ヒット作を生んだジェローム・ロビンズが、文豪ウィリアム・シェイクスピアの戯曲『ロミオとジュリエット』に着想を得て作りあげたこの作品は、ニューヨークのアッパー・ウエストサイドが舞台となっています。

『ウエスト・サイド物語』はプエルトリコ人が多く住むスラム街が舞台となっている

マンハッタンのこのエリアは、いまではメトロポリタン歌劇場をはじめとするリンカーン・センターが位置する、お高くとまったパフォーミングアーツの中心地ですが、二十世紀初頭まではアフリカ系米国人が住民の大半を占め、「サンファン・ヒル」と呼ばれていました。第二次世界大戦が終わると、彼らと入れかわるようにしてプエルトリコ人が移り住むようになり、マンハッタンでもっとも劣悪なスラム街と陰口を叩かれるようにもなります。

『ウエスト・サイド物語』は、こうした時代のアッパー・ウエストサイドで縄張り争いに明け暮れるストリートギャングたち。グリンゴ（Gringo：米国人）の少年たちで構成された「ジェッツ」とプエルトリコ人の少年たち「シャークス」との抗争によって引き裂かれる恋人たちを描いています。気分を害するミュージカルファンもいるでしょうが、日本に置きかえれば、とどのつまりは東京・新宿『歌舞伎町悲恋物語』といったところでしょうか。

プエルトリコの歴史

プエルトリコは、ドミニカ共和国の東に浮かぶカリブ海の小島です。現在は米国から、「プエルトリコ自治連邦区」といったまどろっこしい地位を与えられています。島民は、米国籍は保有していますが連邦税の納税義務はなく、そのかわり大統領選挙の投票権も、低所得者向けの医療保険「メディケイド」を受ける権利も与えられていません。

なんともあいまいな立ち位置ですが、要は米国に管理されてはいるが、州でもなければ連邦直轄の特別区にも属さず、限定された主権をもつ米国の〝海外領土〟ということになります（同様のステータスをもつエリアとしてはグアム島やサイパン島を含む北マリアナ諸島があります。フィリピン共和国も一九三五年から独立を果たした四五年までは自治領となっていました）。建前上、植民地ではありませんが、実質的には「三権分立」が認められていない、現在の香港《ホンコン》と中華人民共和国との関係に近しい存在といっていいでしょう。

プエルトリコは、一四九三年に探検家であり奴隷商人でもあったクリストファー・コロンブス（スペイン語ではクリストバル・コロン）によって発見されると、ファン・ポンセ・デ・レオンらコンキスタドールによって先住民族であったタイノ族はことごとく虐殺され、瞬く間にスペイン王国に征服されてしまいます。

十九世紀後半になると、キューバと同じく独立運動に火がつき、米西戦争を経てスペインから米国へ割譲され、米国領土となります。このとき、キューバは米国の傀儡《かいらい》政権であったとはいえ曲がりなりにも独立を果たしますが、プエルトリコは、知事を米大統領が任命する直轄領に留まりました。これがいまに至る宙ぶらりんな政治的地位につながっています。

その後独立運動が激化したことから、米国は一九五二年に内政自治権を与え、農業から工業への変換を試みましたが、おいそれとは経済を立て直すことができず、大量のプエルトリコ人が米国本土へと流入することになります。

現在、米国内にプエルトリコ人は約四〇〇万人いるといわれています。同島の人口が三五〇万人なので、故郷よりもアメリカへ移住した人のほうが多いという、なんとも不可思議な逆転現象が起こっています。原因は、言うまでもなく貧困です。年間所得は一人あたり六〇〇〇ドル（約七〇万円）で、貧困率は四五％にものぼるといわれています。観光以外さしたる産業がないプエルトリコでは、生活保護に依存していない家庭は、米国への出稼ぎに頼らざるを得ないというのが実情なのです。

米国内でもっともプエルトリコ人が多い都市は『ウエスト・サイド物語』の舞台となった

ニューヨークで、米国本土に移住したプエルトリコ人の三二・八七％を占める約八九万六〇〇〇人は「ニューヨリカン」と呼ばれています（ニューヨーク州立大学アルバニー校一九九〇年調べ）。

ヒスパニック系がマジョリティになる未来

「数十年後に、米国の公用語は英語ではなくスペイン語になるかもしれない」と聞いて、悪い冗談だと笑っていられるのもあと数年かもしれません。

権威あるシンクタンクとして知られるブルッキングス研究所のメトロポリタン政策プログラムが二〇一四年にまとめた報告書によると、英語力に難がある米国在住の米国人は一九二〇万人にものぼり、なんと生産年齢（一六歳から六四歳）の一割にもなるといいます。

そのうち、三分の一はスペイン語を母語とするプエルトリコやメキシコ合衆国、カリブ海諸国からやってきたヒスパニック系移民たちですが、「自宅では英語ではなく外国語を話している」と答えた米国人が、約四五〇〇万人にも達しているというから驚きです。

二〇一一年七月に発表された国勢調査局（U.S. Census Bureau）によれば、この年ヒスパニック系とアジア系の出生率がコケージャン（白人）を上回り、米国史上はじめてマイノリティがマジョリティを上回りました。米国では、憲法修正第十四条で規定されたいわゆる「出生地主義」に基づき、親が外国人でも、たとえ不法移民であっても、米国内で生まれた子どもには米国籍が与えられています。そのため、妊娠中の女性が違法に入国して出産する「妊娠ツアー」が横行し、不法入国後もすぐに子作りに専念するため、ヒスパニック系の人口は増加の一途を辿《たど》っています。

人口比率はコケージャンが約六三％、ヒスパニック系とアフリカ系、アジア系の合計が約三七％と、依然としてコケージャンが多数派を維持してはいますが『ワシントン・ポスト』紙は、出生率がこの勢いで推移すれば二〇四五年には、コケージャンの人口が全体の約四八・五％にまで減少するだろうと予想しています。つまり、あと三〇年たらずで人口の半数以上が「白人」ではなくなる計算になります。

プエルトリコ、五一番目の州への昇格なるか

プエルトリコは、二〇一七年に事実上の財政破綻に追いこまれています。七二〇億ドルもの公的負債を抱え、米国政府に債務の軽減を求めたものの、同島は米国の地方自治体ではなく、米国の連邦破産法に基づく債務再編を実施する資格がないため、窮地に立たされています。

投資家と債務削減でひとまず合意は取りつけたものの、プエルトリコでは二〇一七年に住民投票が行われ、「州への昇格」、「自治領として現状維持」、「独立」の選択肢が提示され、九七％の島民が米国の五一番目の州への昇格に票を投じました。

ドナルド・トランプ前大統領は、メキシコ共和国からの不法移民を防ぐため、両国の国境に壁を建設し、費用はメキシコに負担させると公約し物議を醸しました。実際は、壁の建設はごく一部に留まっていますが、強面《こわもて》の脅しが効き、これまでは不法入国後に難民申請し、手続き中に逃亡していた移民たちをメキシコに送還する、またグアテマラ共和国にも難民申請窓口を設置することで、一時的にせよ不法入国者の数を減少させることに成功しました。

とはいえ、アフリカ系米国人の処遇とあわせて、労働人口の大半を占めるヒスパニック系米国人の人権確保は、米国経済の行く末を占ううえでの試金石ともなりつつあります。

「今宵、世界は素晴らしく、そして輝いている」

『ウエスト・サイド物語』の〝ロミオとジュリエット〟が切望した理想郷は、果たして実現することができるのでしょうか。

25－プレイボーイ・マンション◉ロサンゼルス（カリフォルニア州）
性革命のさきがけとなった『プレイボーイ』誌編集長の夢の城

「性」の常識へ闘いを挑む

あらゆるメディアは、エロによって目覚める。写真、映画、テレビにビデオからＤＶＤ、インターネットに至るまで、エロなくしてメディアが〝市民権〟を得ることはありませんでした。アダルト・コンテンツが常に先兵となってマーケットを切り開き、庶民に新たなメディアの優位性を知らしめてきました。

雑誌もしかり。中年以上の日本男児にとって、「洋モノ」といわれた成人向け輸入雑誌が放つインクの香りと紙の手ざわりには忘れがたい想いがあります。欧米では解禁されていた、いわゆる「モロ出し」はわが国では御法度《ごはっと》だったため、ヘアヌードの局部はマジックインキで黒々と塗りつぶされていました。

なんとかその秘部に肉薄しようと、バターを塗ったり、シンナーでこすったりと悪戦苦闘をくり返した挙げ句に、紙を破ってしまった苦い想い出をもつ読者も多いことでしょう。そんなバタ臭いアダルト雑誌の代表格が米男性誌『プレイボーイ』でした。

豊満な肉体と愛くるしい笑顔。まかり間違っても手が届くことのないハリウッド女優ではなく、まるで隣家に住んでいるような女の子（The Girl Next Door）を想像させるヌード写真を武器に、『プレイボーイ』は性を罪悪視する旧弊に闘いを挑みました。

同誌が創刊されたのは一九五三年十二月。同年七月二七日には朝鮮戦争の休戦協定が調印され、トニー・ベネットが歌う『貧者から富者へ（Rags to Riches）』がヒットチャートをにぎわしていました。挑発的に腰をグラインドさせながらシャウトするロックンロールが、いまだ世に出る前のことです。

創業者のヒュー・ヘフナーは、創刊号の表紙に同年公開された映画『ナイアガラ（*Niagara*）』や『紳士は金髪がお好き（*Gentlemen Prefer Blondes*）』で大ブレイクを果たしたばかりの女優マリリン・モンローを大抜擢します。また、同誌の目玉企画となったセンターフォールド（中央折りこみグラビアページ）にも、深紅のじゅうたんにフルヌードで身を横たえ、艶然《えんぜん》とほほ笑むモンローを登場させ、世間の注目を集めました。

第一次、第二次世界大戦から朝鮮戦争にかけて、セクシュアルな魅力を振りまく「ピンナップ・ガール」は、米軍兵士の間で大人気を博していました。写真のみならずアルベルト・バルガスが手がけたセクシーなイラストは、B－29をはじめとする大型戦略爆撃機の機首に描かれ、戦場で疲弊しきった兵士たちのすさんだ心を癒やす鎮静剤の役割を果たしました。
モンローは、朝鮮戦争中に「ピンナップ・ガール」のトップに躍り出ます。これに目をつけたヘフナーがヌード写真を掲載したことで、青い眼にブロンドという平均的な米国男性が憧れる理想的な容姿を備えたモンローは〝セックス・シンボル〟としての地位を確立します。

禁欲主義を打破した『プレイボーイ』

米国といえば、一般的には性に対して解放的といったイメージがあります。同国のポルノサイトにアクセスすれば、性器露出は当たり前。無修正動画もよりどりみどりの状態です。ところがキリスト教のなかでもことのほか、禁欲的な清教徒が主流派であった一九五〇年代までは、セックスについて口にすることさえはばかられる社会風土がありました。

聖書のマタイによる福音書五章三〇節にある「もし、右の手があなたをつまずかせるなら、切り取って捨ててしまいなさい。体の一部がなくなっても、それを切って捨てなさい。五体の一部を失っても、全身が地獄に落ちない方が、ましである」（新共同訳）といった教えから、マスターベーションでさえ、罪深い行為として厳しく戒められていました。

ヘフナー自身も、宗教観から性的に抑圧された青春時代を送っていたことが、ニュー・ジャーナリズムの旗手ゲイ・タリーズの著書『汝の隣人の妻（*Thy Neighbor's Wife*）』にも克明に綴られています。

『プレイボーイ』誌の編集方針は、こうした〝どこにでもいる男の子（The Boy Next Door）〟の「欲望」を満たすことに主眼が置かれていました。そのためヘフナーは、「プレイメイト」と名づけられたモデルたちの長所を最大限に引き出し、美しく、健康的なヌードで誌面を飾ることにこだわります。

教会や学校から〝ダーティー・マガジン（ポルノ雑誌）〟の烙印を押され、非難されようとも一切意に介さず、彼はそれまで日陰の存在であったヌードに光を当てつづけます。同誌を支持したのは、ヘフナーと同じように性に対してうしろめたい想いを抱いていた男性たちであり、やがて同誌は、彼らにとっての性的通過儀礼ともなっていきます。

六〇年代に入ると、既成概念に反旗をひるがえすカウンターカルチャーが台頭し、若者たちは次々と常識を打ち破っていきます。彼らのスローガンは「ラブ・アンド・ピース（Love & Peace）」。ピースはベトナム戦争反対、そしてラブは性革命を意味し、その先鞭をつけたのが『プレイボーイ』誌でした。

同誌は右肩上がりで売上を伸ばし、一九七二年には最高売上部数七〇〇万部（十一月号）を記録する一流誌にまでのぼりつめます。ついには、同誌の点字版が発刊されないことは、言論の自由を定める合衆国憲法に違反する、との判決が下るほどになりました。

ヘフナーは一九七一年、カリフォルニア州ビバリーヒルズに、広さ一八五八平方メートル、部屋数が二九もあるマンションを購入します。俗にいう「プレイボーイ・マンション」です。アーサー・R・ケリーによって設計されたチューダー様式の邸宅は元々、ブロードウェイ百貨店の創業者アーサー・レッツの息子アーサー・J・レッツ・ジュニアのために、一九二七年に建てられたものです。そのため六つの寝室と六つのバスルーム、テニスコートとプール、四つの寝室を含むゲストハウスを備えた大邸宅でした。また、何人ものプレイメイトたちと寝食をともにし、伝説ともなったパーティー専用の洞窟「プレイボーイ・グロット」も備えていました（二〇一六年に売りに出された当時は、二億ドル〈約二二〇億円〉の値が付き、米国でもっとも高価な邸宅と話題になりました）。

バニーガールに囲まれたヒュー・ハフナー。多くの男性の「夢」を体現することにこだわった

　ヘフナーは、米国の平均的白人男性になりかわり、徹底して彼らの「夢」を自ら実践してみせることに執着します。豪華な邸宅に住み、美女たちに囲まれ、美酒美食に明け暮れる（連日連夜、洞窟でくり広げられたパーティーの様子を伝える写

真の中央には、必ずシルクのバスローブを羽織ってほほ笑む彼の姿がありました)。彼は、人口の大半を占めていた中産階級の嫉妬心を煽りながらも、アメリカン・ドリームの体現者を演じつづけました。

世界に広がる性革命

六〇年代に入ると、女性の権利拡大を主張するウーマン・リブの闘士からは、当然のことながら「女性を食いものにしている」と敵視され、不買運動にまで発展します。ラディカル・フェミニズムの活動家グロリア・スタイネムは、ヘフナーが開いた高級クラブ『プレイボーイ・クラブ』のバニーガールに応募し、同店で働きながら潜入取材を敢行し、女性の性の商品化を糾弾しました。こうした動きに対してヘフナーは、

「性革命で得をしたのは男じゃない。国や教会に縛られて、自由に生きることができなかった女たちだ」

と公言してはばからず、火に油を注ぎます。

たしかに多くの読者は、プレイメイトたちを性欲のはけ口としてしか見ていませんでした。しかしながら宗教的倫理観から解放され、性を謳歌するといった風潮は、次第に男性のみならず女性にも波及していきます。女性は家庭に留まり家事育児に専念するといった社会通念が崩れ去り、社会進出を果たし、恋愛も自ら選択する。『プレイボーイ』誌が提唱した性革

命はやがて世界へと広がっていきました。

セックス・シンボルと見られていたマリリン・モンローは、当然のことながらインテリ層に忌《い》み嫌われました。「おバカな金髪（Dumb Blonde）」であるとか、「尻軽女（Easy）」と蔑《さげす》まれつづけました。しかしながら、男尊女卑が横行していたハリウッド映画界において、女性の地位を獲得すべく孤軍奮闘していたのは、モンローその人であったという事実はあまり知られていません。彼女は、スタイネムが創刊した“Ms.”誌には、

「私は〝物〟じゃない。人として、どちらかを選べといわれれば、喜んでセックス・シンボルを選ぶわ」

といった彼女の心の叫びが収録されています（一九七二年八月号）。

二〇一七年に九一歳でこの世を去ったヘフナーが残した名言のひとつは、

「人生は、誰かの夢のために生きるには短すぎる（Life is too short to be living somebody else's dream.）」。

彼、そしてプレイメイトたちは、いまだ宗教的倫理観の根強い米国において、銃を持たずにまさに裸一貫で闘いを挑み、性に対する概念を根底から覆したドン・キホーテだったといえるでしょう。

一時代を築いた『プレイボーイ』誌は、インターネット上に氾濫するポルノの荒波にさらされ、二〇二〇年春号を最後に廃刊（オンライン版は継続）。日本でもバブル経済成長期を

境に、シリコンで盛りあがった乳房とスラリと伸びた肢体が売りだった「洋モノ」の人気は急速に衰えていきます。それは奇しくも、米国の豊かさに対するコンプレックスが薄れ、わが国がほんの少し、自信を取り戻した時代でもありました。

26－マクドナルド◉ダウニー（カリフォルニア州）
ファストフードの意外な誕生秘話

マクドナルドの利便性

ハンバーガーと聞いて、真っ先に思い浮かべるのはやはり「マクドナルド」でしょう。一九七一年七月二〇日に東京・銀座『三越』の一階に期間限定でオープンして以来、同社はわが国のファストフード業界を牽引してきました。日本マクドナルドの創業者である藤田田《ふじたでん》が、「日本人の髪の毛を金髪にしてみせる」と豪語した通り、何時間でも居座れるマクドナルドは中・高校生たちのたまり場に。テスト勉強や初デートなど、甘酸っぱい思い出をもつ読者も多いはずです。その後、金髪はビッグマックとはかかわりなしに増えましたが、マックフライポテトは私たちの青春の一ページに必ず顔を覗かせます。

そんな「マクドナルド」も、本国ではもはやハンバーガーの代名詞ではなくなりつつあります。店舗数は米国内に一万三九一四と依然として業界第三位のポジションをキープしてはいますが（ちなみに日本国内の店舗数は二〇二〇年六月段階で二九〇九）、ファストフード・チェーンでは店舗数、売上高ともに棒状のパンに切れこみを入れて作るサブマリンサンドイッチで知られる「サブウェイ」の後塵を拝しています（二万四七九八店）。

そのほかにも日本でおなじみの「バーガーキング」や「ウェンディーズ」のみならず、「アービーズ」、「ソニック・ドライブイン」や「ジャック・イン・ザ・ボックス」、「カールスジュニア」といったチェーン店としのぎを削り、劣勢に立たされています（二〇一九年）。ちなみに米国で「マクドナルド」と言っても通じません。発音は、「マク」抜きで最初の「ド」にアクセントを置いた、英語とはとても思えないような「ドナルゥ」が近い。

ファストフードの優れた点は、どこで食べても同じ味が得られることでしょう。おいしいかどうかはさておき、カンザス州の片田舎だろうがモスクワ、イスタンブール、東京の北千住だろうが、同じ味覚、食感が約束されています。これは、民主主義を標榜する米国だからこそ生まれた発想です。金持ちであれ貧乏人であれ、同じ食事にありつける権利。こうした平等思想が根底にあったからこそ、オートメーション化も難なく受け入れられ、誰もが同じような既製品を安く手に入れることで大量生産・消費社会を実現することができました。

日本社会は均質化が著しいとよくいわれますが、こと「食」に関していえば、好みは千差万別。ハンバーガーひとつをとってみても、てりやきチキンやかるびマック、えびフィレオもあればロースカツバーガーやソイ野菜バーガーまであります。一方、米国ではパテが倍になるダブルかトリプル。バンズの種類は？　チーズを増量するか？　ハラペーニョを入れるか？　程度の選択肢しかありません。舌よりは下っ腹が肥えた米国では、「質」より「量」が優先されます。

ハンバーガーの誕生

まさに米国の国民食ともいえるハンバーガーですが、そもそもはモンゴル帝国で食されていた馬肉の挽き肉が源流だといわれています。遊牧民のタタール人が用いた生肉の調理法（タルタル・ステーキ）がロシアを経由してドイツ北部のハンブルクに伝わります。ナポレオン戦争によって疲弊したこの港湾都市からは一八五〇年代に、多くの移民たちが米国へ渡りましたが、彼らが船中で腐りかけた燻製肉を細かく刻んで食べた、食べざるを得なかったことからハンバーガーは生み出されました。

現代風のハンバーガーを誰がいつ発明したのか。どこの店で最初に提供されたかについてはいくつもの説があり、長年議論は絶えませんでした。そこに殴りこみをかけたのがコネティカット州選出のローザ・L・デラウロ下院議員です。

二〇〇〇年に、現在も同州のニューヘブンにある『ルイーズ・ランチ』のオーナー、ルイーズ・ラッセンを「ハンバーガー＆ステーキ・サンドイッチの創作者」として認定するよう米国会図書館に働きかけ、ようやくハンバーガー誕生物語に終止符が打たれました（世界最大の飲食店チェーンにまで成長した「サブウェイ」もまた、一九六五年に同州ブリッジポートで開店した「ピーツ・スーパー・サブマリンズ」が第一号店でした)。

一九〇〇年のある日のこと、屋台でランチを売っていたラッセンがサラリーマンのゲリー・ウィドモアに、

「ルイーズ、時間がないのでなんでもいいから包んでくれ!」

とせかされ、仕方なく手元にあった合い挽き肉をトーストに挟んで出したのがはじまりだったとされています。

たかがハンバーガー、されどハンバーガー。米国人にとって〝元祖〟の称号は、喉から手が出るほど欲しかったに違いありません。この一件で株を上げたデラウロ下院議員は、食品衛生・輸出入管理のエキスパートとして現在も活躍中です。

ところが、一九二〇年代に至るまでハンバーガーは、

「腐った安いクズ肉を挽いて固めて焼くなんぞ不衛生きわまりない。貧乏人の食い物だ!」

と、じつは大多数の米国人には疫病神《やくびょうがみ》のように扱われていました。寿司や天ぷらも江戸時代には屋台で売られていたのとよく似ています。ハンバーガーが市民権を得たのは、「マクドナルド」がファミリー向けチェーンストアを五〇年代に起ちあげてからのことです。

マクドナルドの快進撃

一九五四年、調理機器のセールスマンだったレイ・クロックは、カリフォルニア州サンバ

ーナディーノにあったマクドナルド兄弟が経営する小さなレストランに、ミルクセーキの製造マシーンを納品します。そこで彼は、兄弟が製造工程を簡略化し、セルフサービスも導入するなど徹底した合理化を推し進める姿に感動を覚えました。ハンバーガーは一般的なレストランの半額に近い十五セントで売られ、ミルクセーキも飛ぶように売れていました。何よりも、それまで調理が終わるまでに三〇分は要していたハンバーガーが、ものの三〇秒で出てきたことに驚かされます。

すぐさまマクドナルド兄弟にフランチャイズ方式を提案したクロックは、一九五五年四月にイリノイ州デスプレーンズに初の店舗（「マクドナルド」としては九店目）を開業。同時にマクドナルド・システム社（現マクドナルド）を起ちあげます。六一年に「マクドナルド」の権利を二七〇万ドル（約三億円）で兄弟から買い取ったのち、同社の快進撃が始まりました。

この店舗は、「第一号店」として博物館になっていましたが、二〇一八年に閉館・解体されてしまいました。同店がもっとも古い「マクドナルド」の店舗と思いきや、クロックが買収する以前にオープンしたマクドナルド兄弟の店舗がカリフォルニア州ダウニーにいまも存在しています（三号店）。

しかしながらクロック仕様の「マクドナルド」が近郊にオープンしたことで売上は激減。一九九〇年に「マクドナルド」の軍門に降り、オリジナルメニューではなくクロックが開発したビッグマックをメニューに載せることとなりました。当時のマスコットであった「スピーディー」が掲げられているこの店舗は、一九九四年に米政府によって「もっとも保全が危ぶまれる十一の歴史的建造物」のひとつに指定されています。たかだか一世紀にも満たない、しかも商業施設が文化財として保護されるところに、米国の歴史認識が垣間見られます。

ミニ博物館も備えたこの店舗は、五五年の開店当時とまったく同じインテリアが残されているため、フィフティーズ・ファッションに憧れる多くの観光客を惹きつけています。ハンバーガーとコーラという〝国民食〟が世界の胃袋を席巻する限り、米国の威光は保たれます。

ダウニーにある、現存する最古のマクドナルド

日本マクドナルドの常設店第一号であった「マクドナルドハンバーガー発祥の地」晴海《はるみ》通り店は二〇〇七年に閉店。現存する最古の店舗は代々木店となりました。現存するもっとも古い店舗が何号店であるかを辿《たど》ることで、ファストフード・チェーンの栄枯盛衰を知ること

ができます。

「いつでもそこに　マクドナルド」（一九九〇年代後半のキャッチコピー）でありますように。

27 ヘイト・アシュベリー◉サンフランシスコ（カリフォルニア州）

時代を変える数々の狼煙を上げてきた西方の地

ビート・ジェネレーションの聖地

ヘイト・アシュベリーと聞いて、思わずこめかみがビクリと動いてしまった読者は、一九六〇年代に〝C調〟と笑われようが、〝フーテン〟と呼ばれようが、さぞかし〝ハッスル〟しまくった〝はっぱふみふみ〟な現代っ子だったのでしょう。

〝シビレちゃった〟のは、あなただけではありません。カリフォルニア州サンフランシスコのヘイト・アシュベリーは、ビート・ジェネレーションからフラワー・ジェネレーションに至るカウンター・カルチャーの発祥地として、〝イカした〟全米の若者たちを〝ガチョ〜ン〟とばかりに魅了しました。

「ビート」と言ってもビートたけしでもユーロビートでも、ましてやヒップホップのビート（トラック）でもありません。ビート・ジェネレーションとは、四〇年代後半から六〇年代半ばにかけて米国で巻き起こった先鋭的な文学運動のことです。従来のピューリタン的価値観や唯物主義に反旗をひるがえし、スピリチュアルや東洋思想に傾倒し、ビートニクと呼ばれた彼らは、ドラッグやセックスによる快楽を肯定するボヘミアン的生き方を実践しました。

シンガーソングライターとしてはじめてノーベル文学賞を受賞したボブ・ディランに、「人生を変えられた」とまで言わしめたビート・ジェネレーションのバイブルがあります。ジャック・ケルアックの自伝的小説『オン・ザ・ロード（*On the Road*）』です。そのなかで、主人公のサル・パラダイスは、

「ぼくにとってかけがえのない人間とは、なによりも狂ったやつら、狂ったように生き、狂ったようにしゃべり、狂ったように救われたがっている、なんでも欲しがるやつら、あくびはぜったいしない、ありふれたことは言わない、燃えて燃えて燃えて、あざやかな黄色の乱玉の花火のごとく、爆発するとクモのように星々のあいだに広がり、真ん中でポッと青く光って、みんなに『ああ！』と溜め息をつかせる、そんなやつらなのだ」（河出文庫／青山南訳）

と、ビートニク仲間を描写しています。

ビート・ジェネレーションの中心人物であった詩人のアレン・ギンズバーグやウィリアム・S・バロウズといった小説家たちは、ジャズのインプロビゼーション（即興）よろしく、得体の知れない「体制」に対して自由奔放に舌を出し、つばを吐き、ニューヨークのグリニッジ・ヴィレッジやヘイト・アシュベリーを拠点に活動を広げていきました。

ちなみにサル・パラダイス（Sal Paradise）という名前は、ギンズバーグがケルアックに

贈った詩編『デンバーの倦怠（*The Denver Doldrums*）』の第二節に登場する「悲しき楽園（Sad Paradise）」から名づけられています。また、破天荒な旅の同伴者ディーン・モリアーティ（Dean Moriarty）のネーミングも、「死すべき運命（mortality）」を想起させます。

狂騒の一九二〇年代、世界恐慌を経て、第二次世界大戦を経験した米国は、もはや無邪気な理想郷でありつづけることはできない。確実に、また着実に死に向かっていると、ビートニクたちはシニカルに言い放ち、自らもまたドラッグとセックスに溺れて漂流し、朽ち果てていきました。

ヘイト・アシュベリーの変遷

小さな港街にすぎなかったサンフランシスコが急激に発展したきっかけは、ほかの米西海岸の都市と同じく、一九世紀半ばに起こったゴールドラッシュでした。一八六四年には、金鉱で丸儲けした成金相手にカリフォルニア銀行が設立され、サンフランシスコ港も西海岸最大の交易基地としての地位を確立しました。その後は軍事や港湾、金融のセンターとして成長を遂げ、一九八〇年代以降は隣接する世界最大のハイテク産業の集積地シリコンバレーと競うように、マルチメディア産業の拠点として拡大しています。ベンチャーキャピタル投資額も増加の一途を辿《たど》り、ＧＤＰ成長率は年間平均で五・三％（二〇一四〜一八年）。全米でも屈指の高い伸び率を示しています（オックスフォード・エコノミクス調べ）。

ヘイト・アシュベリーは、どこにでもある中産階級向けの住宅地にすぎませんでしたが、戦後は空き家が目立ち発展から取り残された一角となり果てていました。ただこのエリアは、一九〇六年に発生した米国史上最大級の自然災害であるサンフランシスコ大地震の被害が比較的軽微であったため、老朽化してはいたものの、趣《おもむき》のあるヴィクトリア様式の住居が数多く残されてもいました。

そこに目をつけたのがアーティストたちでした。五〇年代初頭から、家賃が安いヘイト・アシュベリーには詩人や画家、ミュージシャンらが次々と移り住みます。ニューヨークのグリニッジ・ヴィレッジやソーホーも同じくですが、米国の都市部には、生活力のまるでない芸術家たち、一般社会からドロップアウトしたアウトローたちが集まることで独自のコミュニティが生まれ、そこから文化が育まれ、地域経済が活性化される、といったケースが少なくありません。

ヒッピー全盛期

六〇年代に入ると、戦争を知らない子どもたち、いわゆるベビーブーマーたちがヘイト・アシュベリーに居を構えるようになります。ビート・ジェネレーションの反体制思想はそのままに、激化するベトナム戦争反対運動やアフリカ系米国人の市民権獲得を後押しする公民権運動が加わり、七〇年代にかけてこの地はカウンター・カルチャーの聖地となっていきます。

バックグラウンド・ミュージックもジャズからロックへと様変わりし、サンフランシスコからはグレイトフル・デッドやジェファーソン・エアプレイン、クイックシルバー・メッセンジャー・サービスといった伝説のサイケデリック・ロック・バンドが誕生しました。彼らのコンサートは長時間に及び、うっすらと煙った会場にはストーンドした（ＬＳＤやマリファナでハイになる）観客たちが頭を振り、体を揺する姿がそこここに見られました。

ヒッピーと呼ばれた彼らのスローガンは「ラブ・アンド・ピース」。ビートニクがまとっていたインテリ臭は消え、メッセージが単純化されたことで、より広範な若者たちの支持を得るようにもなります。ドラッグとセックス、ロックが〝三種の神器〟となり、まがいものの近代文明から身心ともに解放されることがハッピーとされた時代です。

ヘイト・アシュベリーに隣接するカストロ通りに、男性同性愛者が集まりはじめたのもこの頃のことでした。元々は、第二次世界大戦中に性的指向を理由に除隊させられた同性愛者たちが、このエリアに定住したことがはじまりだったといわれています。

六〇年代に巻き起こった性革命に力を得て、カストロ通りでも同性愛者に対する人権擁護や就職、婚姻の権利を主張するムーブメントが活発化します。米国では、同性愛者は通称ソドミー法と称される州法によって罰せられていましたが、一九六二年にイリノイ州がはじめて刑法からソドミー法をのぞいたことから運動は勢いづきます。

七七年にはハーヴェイ・B・ミルクがサンフランシスコ市の市会議員に当選し、ゲイであることを公言して選挙戦を勝ちぬいた米国初の公職者となりました。彼は翌七八年、前市会議員のダン・ホワイトによって市庁舎内でジョージ・マスコーニ市長とともに射殺されてしまいますが、ミルクの存在は同性愛者に大きな勇気を与えました。カストロ通りは、現在のLGBTsの発端となり、二〇〇四年にマサチューセッツ州ではじめて同性婚が認められるまで中心的役割を担ってきました。すべての狼煙《のろし》は、サンフランシスコから上がりました。

新しい文化を生みつづける

七〇年代になりベトナム戦争が終結し、社会の右傾化が顕著になるにつれ、ヒッピー世代はまるでそれまで蓄積してきた毒素を吐き出すかのように、ナチュラル志向へと転向します。環境問題やサイバネティクス、フィットネス、スローフードなどが叫ばれはじめたのがこの時期です。「地球にやさしい」トレンドの先鞭をつけたのは、スチュアート・ブランドによって一九六八年に創刊された不定期刊行誌『ホール・アース・カタログ』でした（発行元はサンフランシスコの非営利団体ポートラ・インスティテュート）。

最終号が一五〇万部のベストセラーとなった同誌ですが、各号に掲載されていた情報は、いずれも役に立つツールであること、自立した教育と関連性があること、ハイクオリティかつローコスト、通販で購買可能であることを基準に厳選されていました。

数々の文化を生み出したヘイト・アシュベリーの街

アップル社の創業者スティーブ・ジョブズも同誌に感化されたひとりで、彼は同誌の最終号の最終ページを飾った「いつまでもハングリーのまま、愚かなままで居続けろよ（Stay hungry. Stay foolish.）」といった名フレーズを、二〇〇五年六月十二日、スタンフォード大学の卒業式に招かれた際に卒業生に贈るスピーチに引用しています。

初期のＩＴ業界は、ジョブズのようなロン毛で、穴の空いたジーンズを無造作に穿《は》き、毎朝瞑想を欠かさないハイテク・ヒッピーたちが牽引していました。こうした筋金入りのヒッピーたちが姿を消したことで、サンフランシスコは反体制の香り漂うあやしげな、しかしながら魅惑的なカラーを次第に失っていきます。

ずたぼろのジーンズも一本数百ドルもするデザイナーズ・ジーンズに取ってかわり、シャンプーコンディショナーを欠かさないロン毛をなびかせた似非《えせ》ヒッピーたちが、数億ドル単位のマネーゲームに一喜一憂する姿が、いまやサンフランシスコの日常となっています。

もしもジョブズが生きていれば、こうしたノンセクト・ラディカルを見て〝スカッとさわやか〟と賞賛するか、〝ズッコケる〟か。または、〝なんであるアイデアル〟、と笑い飛ばすか。どのような反応を示すか、興味は尽きないところです。

28 カリフォルニア・ディズニーランド・リゾート◉アナハイム（カリフォルニア州）

イッツ・ア・スモールワールドに見る米国のユートピア

宝塚ファミリーランドと米国ディズニーランドの共通点

一九二六年に開園して以来、都民に親しまれてきた練馬区の「としまえん」（開園当時の名称は「練馬城址　豊島園」）が、二〇二〇年八月に惜しまれつつ閉園しました。世界初の流れるプールや、設置された当時には「２４０人様ご昇天」といったなんともパンチの効いたキャッチフレーズで注目を集めたアトラクション「フライングパイレーツ」を懐かしく思い出す読者も多いことでしょう。

私が幼少期を過ごした兵庫県・宝塚市にも、一九一一年に開業した「宝塚ファミリーランド」（当時の名称は「宝塚新温泉」）がありました。その二年後に結成された宝塚唱歌隊（現在の宝塚歌劇団）とともに観光客誘致の目玉として人気を博しましたが、こちらも二〇〇三年、一世紀たらずの歴史に幕を下ろしています。

日本最初の遊園地は東京の「浅草花やしき」で、開業は一八五三年。マシュー・ペリー司令長官率いる米海軍東インド艦隊の四隻の蒸気船、いわゆる「黒船」が浦賀沖に来航した年に、植物園「花屋敷」としてデビューを飾っています。同園は、太平洋戦争中に一度取り壊されたため、現存するもっとも古い遊園地の座は大阪府・枚方市《ひらかた》にある菊人形で知られる「ひらかたパーク」（一九一〇年に「香里《こうり》遊園地」として開園）に譲っていますが、こちらも米国資本の「ユニバーサル・スタジオ・ジャパン」にすっかり来場者を奪われ、苦戦を余儀なくされています。

「宝塚ファミリーランド」には、世界各国の衣装を身につけて歌って踊る機械仕掛けの人形たちを、ボートに乗って観てまわる「宝塚大人形館　世界はひとつ」といったアトラクションがありました。関西在住者であれば、遠足や家族旅行で一度は体験したことがあるはずです。

カリフォルニア州アナハイムにあるディズニーランド・リゾートをはじめて訪れ、ディズニーパークを代表するアトラクション「イッツ・ア・スモールワールド（It's a Small World）」を観た刹那、私は一種のデジャヴ、既視感を覚えました。「どこかで見たことがある」と思った原因が、じつはこの「世界はひとつ」でした。

「イッツ・ア・スモールワールド」ができるまで

「世界はひとつ」は一九六七年に開館しています。一方、「イッツ・ア・スモールワールド」はその一年前にディズニーランド・リゾートに登場しました。「宝塚ファミリーランド」の親会社である阪急電鉄が、この斬新なアトラクションにいち早く目をつけ、模倣したのでしょう。二重大観覧車や屋外プールの設置も功を奏し、また七〇年に大阪府吹田《すいた》市で開催された日本万国博覧会も後押しし、同ランドはその後、関西エリアを代表するレジャーランドとして発展していきます。

「イッツ・ア・スモールワールド」はそもそも、一九六四年四月から翌年十月にかけてニューヨーク市のクイーンズ区で開かれたニューヨーク万国博覧会のパビリオンのひとつが前身となっています。国際連合児童基金（ユニセフ）が、ディズニーの創業者であるウォルト・ディズニーに、同基金のビジョンである「すべての子どもの権利が実現される世界をめざして」に合致するアトラクションを作ってほしいと依頼したところ、ディズニーは、「人種や性別、国籍、言語の違いがあっても、子どもたちはなんのしがらみもなくすぐに友だちになれる。けんかをしても、泣いて笑ってすぐに仲直りしてしまう。まさしくこれが平和な世界なのです」

と応じ、ふたつ返事で引き受けたといいます。

「イッツ・ア・スモールワールド」のデザインを担当したのは、一九三九年にウォルト・ディズニー社に入社し、『シンデレラ』や『ふしぎの国のアリス』など名作アニメのコンセプト・スケッチ（草案）を手がけ、カラー・スタイリストとしても活躍していたメアリー・ブレアでした。彼女がフリーとなったあとに挿絵を担当した絵本『わたしはとべる（*I Can Fly*）』は、ジョン・F・ケネディ大統領の娘キャロラインのお気に入りだったことでも知られています。

ブレアは、ハイテク技術を駆使した禍々《まがまが》しい空間ではなく、あえて背景は平面的な絵で描く「書き割り」を多用することで、まるで絵本の世界に迷いこんだかのような錯覚を作りあげました。子どもは子どもらしく、大人もかつての子どものように。彼女が編み出したキャラクターや色使いは、ディズニーの創作に大きな影響を与えたともいわれています。

博覧会終了後、アナハイムのディズニーランド・リゾートに移設された「イッツ・ア・スモールワールド」は、オリジナル・デザインに北極や太平洋のシーンが加えられ、アトラクションの入口もブレアによって再設計されました。

「イッツ・ア・スモールワールド」は東京ディズニーランドでも、ディズニーの十八作品から約四〇体の有名キャラクターが総出演し、一九八三年にオープンしてからいまもなお愛されつづけています。

この「イッツ・ア・スモールワールド」という画期的なコンセプトですが、よくよく考えてみれば米国の理想郷、ユートピアの可視化であることに気づきます。米国は、世界各国から思想や人種、階級、宗派などが異なる人々が理想を求めて集まり、建国された新世界です。しかしながら現実は、経済格差や人種問題、宗教的対立などがあとを絶たず、お世辞にもユートピアとは呼べません。

「イッツ・ア・スモールワールド」は、米国にとって見果てぬ夢ではありますが、この国が目指す理想の姿を、子どもにでもわかるシンプルな形で見せてくれます。その意味においてディズニーランドは、米国の縮図ともいえるでしょう。ディズニーランドへ行けば皆が幸せな気分になれるのも、ここには人間のもつポジティブな要素しか用意されていないからにほかなりません。ディズニーランドが魔法の国といわれる所以《ゆえん》です。

数々の革命を起こしたディズニーランド

ディズニーランドが登場する以前の遊園地では、来場者はさまざまなアトラクションを受け身で楽しんでいました。ところがディズニーは、従来のイメージを一新し、テーマ性をもったそれぞれのアトラクションに来場者が参加するエンターテインメント型の娯楽施設、アミューズメントパークを生み出しました。こうしたエンターテインメント・ビジネスの形態は、テーマパークに留まることなく、ホテルやレストラン、ショッピングセンターといった複合商業施設のあり方にも多大な変化を及ぼしました。

キャラクター・ビジネスについても同じくで、ミッキーマウスやドナルドダックといった人気者の著作権を商売に変えたのは、ディズニー社がはじめてでした。ミッキーマウスは、世界ライセンス収入だけで年間約九〇〇〇億円を生み出しているといわれています（第二位は、くまのプーさんの五七〇〇億円)。

ミッキーマウスがスクリーンデビューを飾ったのは、短編アニメ映画『蒸気船ウィリー』(一九二八年公開)。それ以降、九〇年以上にわたり大活躍してきたわけですが、二〇二三年にはこのオリジナルのミッキーマウスの著作権が消滅することになります。デザインが変わるたびに新たな著作権が発生するため、ミッキーマウスのグッズをすぐに誰もが作れるわけではありませんが、ディズニーにとっては大きな転換期を迎えることとなります。

それでも、米国が理想を追い求める限り、世界が米国に憧れつづける限り、ミッキーマウスは歌いつづけるでしょう。結局のところ、「世界は小さな世界」だと。

29 ― バイブルベルト◉ヴァージニア州ほか
多様すぎてついていけない!? 米国の宗教観

宗教を重要視する米国人

米国人と付き合うにあたり、もっとも気をつかうのが「宗教」です。キリスト教にユダヤ教、イスラム教徒もいればヒンドゥー教徒もいる。しかも教派によって教義が異なるのはもちろんのこと、例えばイスラム教のように神の教えに従いハラール（halal）と称されるイスラム法に照らし合わせて合法と認められた食品しか口にしない人々もいます。タブーとされる話題も少なくないため、一定の知識がなければ人間関係を損なう可能性も生じます。

日本人は信仰心が希薄であるため、宗教を尋ねられるとついつい「無宗教」と答えてしまいがちです。ところが欧米では「無神論者（atheist）」は、かなりの覚悟と信念があって宗教を否定していると受け取られます。軽い気持ちで発したひと言によって、「あなたはなぜ神を信じないのか?」と詰問され、逆に面倒な事態に陥ることが少なくありません。

日曜日の朝には、この国がいかに宗教に重きを置いているかを実感させられます。イエス・キリストが復活した日曜日は、キリスト教信者にとっては週のはじまりを意味します。『旧約聖書』の「創世記」に、神は天地を創造した後、「七日目に休まれた」とあることから、古来、ユダヤ教徒は金曜日の日没から土曜日の日没までを安息日としています。一方、『新約聖書』に則したキリスト教ではキリストが復活した日曜日を主日と定めたため、この日は働くことを控え、神を思う日とされます。

信仰心の篤い信者は教会に集います。「教会」とは、そもそも「呼び集められた者の集まり」を意味し、「キリストのからだ」であるところの教会に集った者たちには神の恵みと祝福が約束されています。

英国国教会（アングリカン・チャーチ）やローマカトリックの信徒はキリストの最後の晩餐に由来する聖餐式（ミサ）で、清教徒（プロテスタント）は聖書に記された御言葉を学ぶ説教に耳を傾けながら礼拝を行います。教会には、朝から正装した家族がひっきりなしに訪れます。意外に思われるかもしれませんが宗教大国米国では、きわめて身近な光景です。

ひと言でキリスト教といっても、さまざまな教派があります。米国に多い英国国教会やプロテスタント。プロテスタントのなかにもルーテル教会や長老派教会、メソジストもあればペンテコステやバプテスト、異端とされている教派も無数にあり、それぞれが異なった教義をさかんに伝道しています。なかでも福音派（エヴァンジェリカル）は、米国人の四人に一人が信仰しているといわれる最大勢力です。

メディアを使った布教活動

そんな日曜日の朝、ケーブルテレビにチャンネルを合わせれば、まずもって宗教番組の多さに驚かされます。まさに布教活動においては稼ぎ時のプライムタイム。これでもかというほどキャラクターの強い伝道師たち（エヴァンジェリスト）が、次から次へと画面に映し出されます。ちなみに近年、ＩＴ業界で注目を集めている職種「テクニカル・エヴァンジェリスト」もこの福音主義者になぞらえたもので、ＩＴの技術的話題をメーカーの営業マンになりかわり、不特定多数のユーザーやメディアに対して布教、つまり啓蒙する役割を担うコミュニケーターを指します。

こうしたメディア戦略を駆使した伝道師たちは「テレヴァンジェリスト」と呼ばれ、米『タイム』誌によれば、一九五二年にローマカトリック教会のフルトン・Ｊ・シーン司教が最初にテレビを布教活動に用いたとされています。

ケーブルテレビの普及と足並みをそろえるかのように、こうしたテレビ伝道は爆発的に拡大していきました。その背景には、宗教専門テレビ局は「布教目的の宗教法人」と見なされ、局に対する租税が免除されるといった経営上のメリットがあったともいわれています。

放送は、常に満員となったメガ・チャーチからのライブ中継で、ロック調にアレンジされたゴスペル・ソングで華やかに幕を開けます。メガ・チャーチとは、一度の礼拝に二〇〇〇人以上を集める巨大な教会のことです。全米に約一六〇〇ヵ所あるそのほとんどは、福音派のものといわれています。なかには八〇〇〇人以上を収容できるコンサート会場と見間違うほど立派なホールをもち、託児所や医療サービス、法律相談所を併設している教会もあります。

宗教法人の経営は、信者の献金によって賄われているため、テレビ画面には献金の振込先が終始テロップで流され、まるでテレビ・ショッピングのように〝献金意欲〟を掻き立てます。現在では動画サイトやSNSに主戦場が移り、〝布教競争〟は激化の一途を辿《たど》っています。

一人で二〇億人もの信者を擁した伝説の伝道師

七〇年代には、天才的伝道師ビリー・グラハム牧師がテレビを通じて衝撃のデビューを果たしました。南部バプテスト教会の福音伝道師であった彼は、保守的な信仰復興運動の指導者として台頭し、現代社会に適応した新福音主義（ネオ・エヴァンジェリカル）を提唱し、世界一八五ヵ国で二億一五〇〇万人に伝道。二〇〇二年の段階で世界に二〇億人もの信者を擁していたといわれています。

ベトナム戦争反対運動によって生じた人間中心主義やリベラリズムに嫌悪感を抱き、聖書が説く教義に忠実な、いわゆるサイレント・マジョリティー（もの言わぬ多数派）の心を捉えたグラハム牧師は、八〇年代に入ると政治との関わりを強め、党派を問わず歴代大統領も票欲しさにグラハム牧師との親交を深めていきます。

彼は、リチャード・ニクソン大統領の就任式では祈禱をささげ、二〇一八年二月二一日に亡くなった際にはノースカロライナ州で営まれた葬儀までの間、遺体が納められた棺が首都ワシントンの連邦議会議事堂に安置されていたといいます。米国は、政教分離を謳っていますが、これは独立宣言にある「すべての人間は神によって平等につくられ」といった一節からもわかるように、宗教を国政から排除するといった意味ではありません。

キリスト教原理主義者の代表格として名乗りを上げたグラハム牧師を支えたのは、バイブルベルトの住民たちでした。バイブルベルトとは、米中西部から南東部にかけて宗教心の篤い人々が居住するエリアを指します。具体的には南北はカンザス州からフロリダ州北部にかけて、東西はヴァージニア州からテキサス州に至る、まさに米国の心臓部に位置する偉大なる〝田舎〟です。

聖書の記述を一字一句疑わず、「人間は神が創造した」と頑なに信じる彼らは、英自然科学者のチャールズ・ダーウィンが提唱した進化論にも異議を唱えます。一九二五年にはテネシー州議会が進化論を公立の教育機関で教えることを禁ずる『進化論禁止法』を制定し、これに従わなかった同州イーブンビルのレア郡高校のジョン・トーマス・スコープス教諭に有罪判決が下され、一〇〇ドルの罰金が科せられました。この裁判は「モンキー裁判」として全米の注目を集め、公判の模様は全米にはじめてラジオ放送されたほどです。

同法は六七年に廃止されましたが、八一年にはルイジアナ州とアーカンソー州で、公立学校では進化論とともに「創造科学」も平等に教えることを定めた『授業時間均等化法』が制定されます。「創造科学」とは、『種の起源』に代表されるダーウィンの『進化論』に対抗し、すべての生物は創造主によって創られたと考える〝学問〟です。

この法律は一九八七年に連邦最高裁判所が、「宗教と国家の分離原則（または国教樹立の禁止）」（憲法修正第一条）を引き合いに出し、「進化論は科学であるが、創造科学は宗教理念であることから公立学校で教えることは憲法違反である」との判決を下し廃止されています。

大統領選をも左右する信仰

ドナルド・トランプ前大統領の支持基盤も、こうした宗教右派の人々でした。そのため、彼が保守派の最高裁判事を任命したことで、妊娠中絶や同性婚といった風潮に歯止めがかかると期待を集めました。トランプ前大統領も福音派に対する公約は律儀に守り、家族計画や中絶カウンセリングを提供する国際団体への公的助成に規制を強めたのは記憶に新しいところです。

こうした保守的なバイブルベルトの精神風土を見事に描いた映画が『ペーパー・ムーン』

（一九七三年）でした。

舞台は三〇年代のカンザス州。ライアン・オニール演じる流れ者の詐欺師モーゼズ・プレイが、じつの娘テイタム・オニール扮する孤児のアディをミズーリ州の叔母宅まで送り届けるロードムービーの名作です（テイタムはこの作品でアカデミー助演女優賞を最年少の十歳で受賞）。

詐欺師モーゼズは、新聞のお悔やみ欄を毎朝欠かさずチェックし、未亡人宅を訪ねると、同州ウィチタにあると偽った架空の「カンザス・バイブル・カンパニー」の名刺を差し出し、ご主人が聖書を注文されたと神妙に告げます。未亡人は夫が生前、内緒で聖書をプレゼントしてくれていたことにいたく感激し、喜んで代金を支払います。

こうした罰当たりな詐欺行為にいともかんたんにだまされてしまうことからも、ごく一般的な米国人にとって、キリスト教が日々の生活においていかに大きな比重を占めているかがわかります。大統領選挙でさえ、福音派の動向が鍵を握っていたと言っても過言ではありません。ビュー・リサーチ・センターの二〇一九年十月の調べによると、共和党支持者の約三分の二はキリスト教徒を自認するＷＡＳＰ《ワスプ》で、民主党のそれは二五％にすぎないといわれています。

それは紙でできた月

ボール紙の海を渡っている
でも、あなたが信じさえすれば
本物の月になる

（“It's Only A Paper Moon” より／著者訳）

30 シリコンバレー◉サンノゼ周辺（カリフォルニア州）

IT企業の集結地、その経済規模はフランスやイタリア以上！

「アップル」はじまりの地

物理学者アイザック・ニュートンは、二三歳のときに生家のあった英ウールズソープ・マナーの果樹園で瞑想にふけっていました。そこで、偶然にもケントの花の木からリンゴがポトリと落ちるのを見て、万有引力を発見したといわれています。一方、アップルの創業者スティーブ・ジョブズは、厳格な果実食主義者（Fruitarian）として知られていました。

果実食主義者とは、ベジタリアンのなかでも飛びぬけて禁欲的な信条をもつ人々です。肉や魚などとんでもない。ステーキが大好物な私になんぞ、四半世紀にわたるアップル製品の信奉者だと言ったところで、ジョブズからは憐れみのまなざしを向けられたことでしょう。果実と種以外は一切口にしない。しかも、熟れて地面に落ちた果実を食することを理想とする彼らは、ほとんど修行僧の域に達しています。

ジョブズは、北カリフォルニアのリンゴ農園で一時期を過ごしていた折に、社名の「アッ

プル」を思いついたといいます。ストイックな彼にとってリンゴは、栄養成分、味、形状すべての面で完璧な食物でした。彼は、

「アップルという名前は活発でおもしろそうだし、高圧的ではない印象がある」

と語っています（ウォルター・アイザックソン『スティーブ・ジョブズ』講談社／井口耕二訳）。

誰もが一度は目にしたことがある同社のロゴ「かじられたリンゴ」をデザインしたロブ・ジャノフは、米ウェブサイト『ロゴ・デザイン・ラブ』のインタビューに答えて、

「（アップルの共同経営者であった）スティーブ・ウォズニアックは、（ザ・ビートルズが契約していた）アップル・レコードに訴えられるかもしれないと気をもんでいたけれども、誰もこれ以上にいい社名を思いつくことができなかった」

と、語っています（二〇一六年九月二一日付）。

興味深いことに、同社が最初に作成したロゴは、ニュートンがリンゴの木の下に座り、本を読んでいるデザインでした（ただし、あまりにも複雑なデザインであったため、一年も経たずにレインボー・カラーのリンゴ・マークに変更されています）。

リンゴ。人類の歴史を塗りかえた天才ニュートンとザ・ビートルズ、そしてスティーブ・ジョブズがそろって、アダムとイヴがかじった禁断の果実に魅せられたのは、果たして偶然なのか、それとも輪廻《りんね》なのか。

アップル最初期のマイクロコンピューター『Apple I』

ジョブズは、アップル最初期のマイクロコンピューター『Apple I』を、カリフォルニア州ロスアルトスにあった実家で考案しています。ここのガレージで同機が組み立てられたといった神話が流布されていますが、ウォズニアックによれば開発・製作は当時、彼が勤めていたヒューレット・パッカード社のオフィスで行われ、ガレージでは持ち帰った試作機のテストが行われた程度だったようです。とはいえ、ここがＩＴ黎明期を象徴する場所であることは疑いようもありません。

彼の妹パトリシア・ジョブズが所有するいかにも中産階級然としたこの平凡な平屋建ては、現在は同市により歴史的建造物に指定されています。総予算五〇億ドル（約五五〇〇億円）を投じて二〇一八年に建てられた、巨大な宇宙船を思わせるアップル本社ビル『アップル・パーク』からは、車を飛ばせばほんの十分ほどの距離にあります。

シリコンバレーの原点は第二次世界大戦まで遡る

ロスアルトスを含む、南はサンノゼ、北はサンマテオまで広がる一帯は、シリコンバレーと呼ばれています。この、巨大なハイテク企業とベンチャー企業が本社を構える世界最大のＩＴ企業集積地からは、あらゆるネットワークビジネスが日々、産声を上げています。全米におけるベンチャーキャピタルの三分の一は、このシリコンバレーのスタートアップ企業に投資されているほどです。

半導体の素材「シリコン（ケイ素）」をこのエリアを表す代名詞としてはじめて用いたのはジャーナリストのドン・Ｃ・ホエフラーで、一九七一年一月に米紙『エレクトロニック・ニュース』に寄稿した連載記事に登場しています。そのため、シリコンバレーの歴史はインターネット以降に始まったと思われがちですが然《さ》にあらず、第二次世界大戦中にまで遡らなければなりません。

米軍はヨーロッパ戦線で、独軍のヨーゼフ・カムフーバー大佐が開発したレーダーとサーチライトを組み合わせた最新鋭の夜間防空システム「カムフーバー・ライン」に手を焼き、事実、一万八〇〇〇機もの戦闘機が撃墜されています。ナチス・ドイツが誇るこのレーダー網を突破すべく、ハーバード大学に「ラジオ・リサーチ・ラボ」（ＲＲＬ）が設立され、レーダー妨害装置を発明しますが、この極秘任務の指揮を執っていたのが〝シリコンバレーの父〟といわれるフレッド・ターマン教授でした。

戦後、古巣のスタンフォード大学に戻った彼は、同僚を引き抜き「エレクトロニクス・リサーチ・ラボ」（ERL）を起ちあげるとマイクロ波の研究に着手します。時は冷戦時代、ERLは政府から潤沢な予算を取りつけ官学共同軍事研究のさきがけとなりました。

さらにターマンは、研究内容を学外に持ち出すことを認める、いまでいうところのオープンソースを実行に移したため、我も我もと七〇〇社を超える企業がシリコンバレーに集まり、軍産複合体を形成していきました（当時は「マイクロウェーブバレー」と称されていました）。

半導体研究の権威でノーベル物理学賞を受賞したウィリアム・ショックレーもまた、ショックレー半導体研究所をロスアルトスの隣町のマウンテンビューに創設。同研究所からは、のちにインテルを創業したロバート・ノイスやアドバンスト・マイクロ・デバイセズを起ちあげたジェリー・サンダースらが輩出し、シリコンバレーの基礎を築き上げました。

カリフォルニア州のGDP

米国の州のなかには、国家レベルの経済規模を誇る州が少なくありません。日本の国土面積の約一・一倍のカリフォルニア州は、その筆頭です。

国際通貨基金（IMF）の調べによれば、同州の事実上の国内総生産（GDP）は約二兆七四七〇億ドル（約三〇〇兆円）で、英国の二兆六二五〇億ドルを上回り、世界第五位の経済力となっています（二〇一七年）。つまりフランス共和国やイタリア共和国よりもはるかに大きな自治体ということになります（その他の州では十一位にテキサス州、十三位にニューヨーク州がランクインしています）。

こうした豊かなカリフォルニア州の財政の大半は、売上高が二八〇五億ドル（約三〇兆円）のアマゾンやアップル（売上高二六〇一億ドル）といったシリコンバレーの大手IT企業が支えています（二〇二〇年）。一流大学卒の新入社員の年収が一〇〇〇万円といった好条件に惹かれ、世界中の才能がこの谷間を目指して集まってくる。ジョブズの口癖は、

「ここに来て、世界を変えればいい（Come down here and make a dent in the universe.）」

でした。優秀な人材をアップルに引き入れる殺し文句でしたが、これはシリコンバレーにもいえることでしょう。欲にまみれた我々は、リンゴだけを食べては生きていけませんが、インターネットなしではもはや、一日のスケジュールを組むことさえできない。まさにシリコンバレーによって生活を変えら

グーグルの本社もシリコンバレーにある

れ、コントロールされているのです。

31－スリーマイル島原子力発電所◉ミドルタウン（ペンシルヴェニア州）

原子力発電の本家、グリーン・ニューディールで日本を置きざりに？

スリーマイル島原発事故

二〇一九年九月二〇日、ひとつの灯がひっそりと消されました。ペンシルヴェニア州南部、サスケハナ川の中流域に浮かぶスリーマイル島に建つ原子力発電所の一号機。一九七四年に営業運転を開始して以来、二〇三四年まで運転許可は得ていたものの、半世紀を経ずしてその寿命を終えることとなりました。

事業者であるエクセロン・ジェネレーション社は、再生可能エネルギーの普及や天然ガス価格の低下によって採算が取れなくなり、経済的理由から廃炉を決断せざるを得なかったと発表しています。同社が米原子力規制委員会に提出した計画には、使用済み核燃料を炉心から取り出したあと、放射能レベルの低下を待って作業に取りかかるため、十億ドル（約一〇〇〇億円）の資金を投じても、冷却塔や建屋の解体を完了するまでには六〇年もの歳月を要すると記されています。

原発事故を起こしたスリーマイル島

同月二一日付の『朝日新聞』によれば、同社のブライアン・ハンソン上級副社長は、

「ペンシルベニア州が、この安全で信頼できる炭素排出ゼロ電源の運転継続を支援しないことを残念に思う」（傍点筆者）

と、苦言を呈しています。米国最大の原子力発電事業者である同社は、イリノイ州で稼働しているバイロン、ドレスデン原子力発電所の二基についても、二一年秋には永久閉鎖すると公表しています。

さかのぼること四〇年余り、一九七九年三月二八日午前四時三七分。スリーマイル島原子力発電所一号機に隣接する二号機の給水ポンプが作業ミスによって停止し、蒸気発生器への冷却水の供給が止まりました。営業運転開始からわずか三ヵ月後の事故であったため、一三七個もの警告灯が点灯する非常事態に動転した職員が、非常用炉心冷却装置も手動で停止。炉心上部三分の二が蒸気中にさらされ、崩壊熱によって燃料棒が破損。炉心溶解（メルトダウン）を引き起こしました。

融け落ちた燃料が際限なく地下を溶かしつづけ、地球の反対側の中華人民共和国にまで達するといったブラックジョークから、「チャイナ・シンドローム」と呼ばれた米国最大の原発事故（レベル5）は、幸いにも放出された放射性物質の大半が希ガスであったため、地域住民や環境に対する被害は最小限に抑えられました。とはいえ、この事故は全米のみならず世界を震撼させます。

東京電力福島第一原子力発電所事故

東日本大震災から半年余りあと、私は福島県・南相馬《みなみそうま》市にいました。二〇一一年三月十一日午後二時四六分十八秒。宮城県牡鹿《おしか》半島の東南東沖一三〇キロ、深度二四キロの海底を震源とした東日本大震災は、東北地方と関東地方の太平洋沿岸地域に壊滅的な被害をもたらしました。マグニチュード九・〇という観測史上まれに見るこの巨大地震は、十メートルを超える大津波を伴い、沿岸部を中心に住民の尊い生命、財産、そして希望を根こそぎ奪い去りました。

一〇〇〇年もの歴史を誇る『相馬野馬追《そうまのまおい》』で知られるこの土地は、仙台藩と江戸とを結ぶ陸前浜街道《りくぜんはまかいどう》の宿場町でした。平成の大合併により〇六年に原町《はらまち》市と小高《おだか》町、鹿島《かしま》町の三市町村が合併し誕生した年若い自治体は、東京電力福島第一原子力発電所からわずか二〇キロの圏内に位置していました。

翌日になって一号機の全交流電源が喪失し、建屋が水素爆発を起こします（レベル7）。十四日には三号機建屋も爆発し、翌十五日、政府は原発から二〇キロ圏を避難圏、南相馬市の原町地区を含む三〇キロ圏内を屋内退避圏に設定しました。桜井勝延《さくらいかつのぶ》市長（当時）は、私のインタビューに答えて、

「原発はいらない。七人中六人が自分の土地を離れていった。行かざるを得なかった。原発事故によって自治体が破壊されてしまったのです。こういうことは二度とくり返してはならない。人が快適に暮らすという至極当たり前のことがどういうことなのか、国にも真剣に考えてもらわなければなりません。福島だけではなく、ほかの地域でも、いつ同じような大災害が襲ってくるかわからない。そのためにも我々の経験を、生きた教訓として語りつぐことが、我々の使命であり、義務でもあると考えています」

と、応じました。

シェール革命の恩恵

現在、米国には運転中の原発は九四基あり、建設中が二基、計画中は一基あります（一般社団法人　日本原子力産業協会調べ。二〇二一年一月一日現在）。しかしながら、一次エネルギーの構成比では原子力発電は八％にすぎず、依然として石油が四〇％、天然ガスが三一％、石炭が十四％と、化石燃料がその大半を占めているのが実情です（『原子力・エネルギ

ー図画集2019』より）。

二〇世紀を通じて世界経済の中心でありつづけた米国は、世界最大のエネルギー生産・消費国でもあったわけですが、生産は二〇〇五年、消費も二〇一〇年には中国にトップの座を譲ることとなります。

その一方で、技術革新によってこれまでは採掘が困難とされていた頁岩《けつがん》（シェール）と呼ばれる固い岩盤層から、原油や天然ガスを抽出する「シェール革命」が起こり、米エネルギー情報局（ＥＩＡ）の報告によれば、米国のエネルギー自給率は〇五年の六九・三％から八九・九％にまで急速に回復しています（二〇一七年）。

技術的に採掘可能な米国のシェールオイル埋蔵量は七八二億バレルと推定されており（米エネルギー情報局二〇一三年調べ）、ロシアと並んで世界全体の約四分の一を占めています。テキサス州からニューメキシコ州にまたがる最大鉱区パーミアン盆地から、全米生産量の五割弱が採掘されるシェールオイルの増産により、米国は一八年に原油生産量では四五年ぶりに世界のトップに返り咲き、翌年九月には七〇年ぶりに化石燃料の〝純輸出国〟に転じました。

グリーン・ニューディールで脱原発なるか

環境問題に配慮するバラク・オバマ民主党政権時代にはグリーン・ニューディールが取ら

れ、再生可能エネルギーの利用が促され、環境関連技術への投資がさかんに進められました。二〇一五年には地球温暖化対策の国際的枠組みであるパリ協定にも合意しています。

ドナルド・トランプ前大統領はこうした〝環境至上主義〟に真っ向から反対し、まさに世界の潮流に逆行する形でアメリカ・ファースト・エネルギー計画を提唱。国内の化石燃料の生産を拡大し、自給率を高めるとともに雇用の拡大を図りました。また、一七年六月一日には「米国経済に悪影響を及ぼす」との理由でパリ協定からの離脱を宣言しました。国内経済の立て直しを最優先に掲げた同大統領の〝孤立主義〟は、エネルギー政策にも大きな影を落とすこととなります。

政権を奪回した民主党のジョー・バイデン大統領はかつて、エネルギー温暖化政策は中道を行かなければ合意形成は難しいといった穏健な考えをもっていましたが、リベラル派の批判にさらされ、よりグリーン・ニューディールに近い方針を打ち出すようになっています。

二〇二〇年六月に発表された気候変動プラットフォームでは、遅くとも二〇五〇年までには一〇〇%クリーンエネルギー、ネットゼロエミッション（温室効果ガス排出量実質ゼロ）を達成し、大規模なエネルギー温暖化関連事業への投資を復活させる。翌年二月十九日にはパリ協定にも復帰し、国際的な地球温暖化防止において主導的役割を担うと謳っています。今後は、民主党左派の意見を採り入れ、化石燃料企業に対する締め付けや天然ガスの輸出規制を強化する政策へと転換するものと思われます。

化石燃料の依存度が低下すると、当然のことながら再生可能エネルギーに注目が集まります。再生可能エネルギーといえば太陽光、風力、地熱や中小水力、バイオマスなどが挙げられますが、米国における発電比率は十三・六％にすぎません（二〇一五年）。

発電時に二酸化炭素を排出しないクリーンな原子力発電はどうでしょう。バイデン政権は、出力三〇万キロワット以下の小型原子炉（ＳＭＲ）を含め、より安全性と効率を高めた第四世代原子炉の研究開発を促進するものと見られています。

しかしながら米国にとっての原子力発電は、核戦略における補完的位置づけにすぎません。わが国のような自己完結型の「核燃料リサイクル」といった政策は取っておらず、ウランを原子炉で燃やしたあとは再処理せずにそのまま廃棄するといったワンスルー方式を採用しています。そのため原子力発電そのものから撤退することはあり得ませんが、民間用の発電所については、経済性のみを追求し、採算が合わなければ自由に閉鎖してもかまわないといったスタンスです。

「原子力の平和利用」の名の下に米国から押しつけられた原子力発電事業。本家本元の米国ではフェイドアウトしていくなか、日本はいつまでこの〝安全〟で〝信頼できる〟発電を続けていくのでしょうか。わが国には高速増殖原型炉「もんじゅ」、高速実験炉「常陽《じょうよう》」も含めると全国に五九基の原子力発電所があり、建設中のものが青森県に二基、島根県に一基あります。二〇二一年九月二七日時点では、九州電力玄海三号、四号機を含む九機が稼働しています。

日本政府は、原子力発電の依存度は可能な限り低減しつつも、安全最優先の再稼働を目指しています。これが、福島第一原子力発電所の事故により総額八一兆円もの対応費用（日本経済研究センターまとめ）を浪費したこの国の偽らざる姿です。行くも地獄戻るも地獄とは、まさにこのことでしょう。

32－CNN◉アトランタ（ジョージア州）
米国の報道に革命をもたらしたケーブルテレビ界の雄

南部人らしい豪快な若手経営者

ジョージア州アトランタは、ホットランタ（Hotlanta）とも呼ばれています。まさに南部特有の湿気を含んだ熱波が居座る州都。私がこの地をはじめて訪れたのは一九九〇年、夏も終わりに差しかかった頃合いでした。

同年八月二日、イラク軍が隣国クウェートに侵攻を開始したことをニューヨークで聞き知った私は、一路アトランタを目指しました。CNN（ケーブル・ニュース・ネットワーク）。当時、新興メディアとして国内外の注目を集めはじめていた同局の本社を取材するためでした。

CNNは一九八〇年に、世界初の二四時間ニュースチャンネルとして開局しました。最初に流されたニュースは、ゼロックスやアメリカン・オンライン（AOL）の買収にも携わった敏腕経営者であり、公民権活動家としても知られていたヴァーノン・ジョーダン弁護士の暗殺未遂事件でした。

いまや世界二〇〇ヵ国以上、約二億五〇〇〇万世帯が視聴しているという巨大メディアCNNを起ちあげたのは、南部きっての敏腕アントレプレナーだったテッド・ターナーです。相手が大統領であろうが百万長者であろうが、怯《ひる》むことなく持論を押しとおす彼は、「南部の大口（Big Mouth）」と嘲笑されたこともありました。しかしながら北部のいわゆるエスタブリッシュメントに真っ向から勝負を挑む彼に、南部の人々は南北戦争で北軍を窮地に陥れた南部連合の司令官ロバート・E・リー将軍の姿を重ね合わせ、拍手喝采を送りました。起業家はこうあるべきといったお手本のようなターナーは、例によって武勇伝には事欠きません。

名門ブラウン大学在学中には弁論部の副会長を務めていましたが、学生寮に女生徒を連れこんだことから退学処分となっています（一九八九年に同大から名誉学士号を受け名誉回復）。英雄、いやカウボーイ、色を好む、といったところでしょうか。

父ロバートは広告看板の制作会社を手広く経営していましたが、一九六三年に自ら命を絶ったため、ターナーは二四歳の若さで会社を引き継ぎ、事業拡大に乗り出します。

当時はまだ地上波テレビの全盛期で、ABC、CBS、NBCの三大ネットワークがニュースのおもな供給源として機能していました。そこへターナーは、商業化が始まったばかりのケーブルテレビや衛星放送にいち早く目をつけ、メディア界に殴りこみをかけます。

一九七〇年には破綻寸前であった地元アトランタの弱小テレビ局を買収し、七三年にメジャーリーグのアトランタ・ブレーブスのテレビ放映権を手に入れると（七六年にはチームそのものを買収しオーナーに）怒濤の勢いでメディアグループ、ターナー・ブロードキャスティング・システム（TBS）を作りあげていきます。

CNNはケーブルテレビとして数々の偉業を成し遂げた

ローカルテレビ局は特定地域でしか視聴できないというそれまでの常識を打ち破り、ターナーは衛星を経由したケーブルテレビに参入することで全米放送を実現させます。
とはいえ、当時はいまだ知名度の低い一地方局にすぎません。ターナーは、一九七六年にブレーブスと三年総額一〇〇万ドルで契約したアンディ・メサースミス投手に〝チャンネル〟といったニックネームをつけ、同局のチャンネルと同じ背番号「17」を与えて広告塔に利用するなど、強引な手法でブランド・イメージの向上を推し進めました。

先見の明がある彼が次に目を付けたのが、旧態依然としたニュース番組でした。大手テレビ局は報道番組だけではなく、ドラマやスポーツ、バラエティショーから教育番組に至るまで編成しなければならないため、ニュース番組枠はおのずと限られます。そこでターナーは、いつでもどこでも最新のニュースを知ることができる、世界初のニュースチャンネルを起ちあげてみせました。ターナーは、〝情報〟に〝値札〟をつけた、優れたビジネスマンだったわけです。

二四時間ニュースを報道

「ＣＮＮは、ニュースのコンビニ化ですね」

という私の問いかけに、取材に応じた同局の広報部長は、

「それは言い得て妙だな。もしかしたらターナーの頭にはコンビニエンスストアがあったのかもしれない」

と、笑いながら答えてくれました。

ＣＮＮの最大の特徴は「二四時間営業」にあります。一定のフォーマットに則ったニュースがくり返し流され、速報（ブレイキングニュース）が入ると内容を順次刷新していきます。

また、通常コンビニでは入口横、窓に面した位置に雑誌コーナーを設け、顧客に店内を巡回させるという目には見えない動線を引くマニュアルが存在しますが、ＣＮＮの番組編成には、

コンビニが編み出したこの顧客誘導法が巧みに用いられていることがわかります。ヘッドラインニュースで視聴者の耳目を集め、特集番組で視聴時間を増やし、スポンサー獲得へとつなげる。

ちなみに、欧米の報道番組には、どこぞの国のような、専門外であるにもかかわらず世界経済から芸能ネタに至るまで恥ずかしげもなく発言するコメンテーターと称される〝テレビ芸人〟は存在しません。各分野の専門家にコメントをもらうといった至極真っ当な手法が守られています。

一方では、セレブとの軽妙な会話が楽しめるトーク番組が人気を博してもいます。代表的な番組には一九五四年から放送されているNBCの『ザ・トゥナイト・ショー』や名司会者ディヴィド・レターマンが二二年間ホストを務めたCBSの『レイト・ショー』（現在はコメディアンのスティーヴン・コルベアが担当）、二〇世紀以降でもっとも裕福なアフリカ系米国人といわれるオプラ・ウィンフリーが司会を務める『オプラ・ウィンフリー・ショー』などがあります。

CNNも辛口のラジオ司会者として知られていたラリー・キングを大抜擢し、『ラリー・キング・ライブ』の放送を一九八五年六月から開始します。毎回大物ゲストを招いてインタビュー形式で進められた同番組には、元大統領のリチャード・ニクソンやジミー・カーター、ビル・クリントンをはじめ、ミハイル・ゴルバチョフやネルソン・マンデラ、マーガレット・サッチャー、ドナルド・トランプといった錚々《そうそう》たる面々が出演し、注目を集めました。一九九三年十一月九日には、アル・ゴア副大統領（当時）と実業家であり大統領選にも出馬したロス・ペローが番組内で激論をくり広げ、一一一七万人もの米国人が視聴したといいます。この数字はスポーツ専門局のESPNがアメリカンフットボール中継を始めた二〇〇六年まで、米ケーブルテレビ専門チャンネルの最多視聴者数となっていました。

テレビ朝日のニュース番組『ニュースステーション』（現『報道ステーション』）もこの年に、元TBSアナウンサーの久米宏《くめひろし》をメインキャスターに据えてスタートしましたが、歯に衣着せないトークは、ラリー・キングの影響があったともいわれています。

戦場・生中継のさきがけ

CNNの功績はほかにもあります。一九九〇年八月二日にイラクがクウェートへ侵攻したことをきっかけに、一九九一年一月十七日、米国を中心とする多国籍軍は国連安全保障理事会が採択した決議六七八に基づき、『砂漠の嵐作戦（Operation Desert Storm）』と銘打たれたイラクへの空爆を開始。CNNは、「トマホーク」など巡航ミサイルがイラクの首都バグダッドの市街に次々と着弾する様を世界ではじめて生中継で全世界に伝えました。私が本社を取材したわずか半年たらずあとのことでした。

三大ネットワークの国際電話回線が空爆によって途絶えるなか、CNNだけは独自に持ちこんだフォーワイヤー（四線式回線）が功を奏し、約十七時間、独占状態でバグダッドからライヴ中継を続けました。このときターナーは、

「これまでテレビは、起こったことを伝える役割を果たしてきたが、この戦争ではじめて、いま、起こっていることを伝えるようになった」

と公言しています。このＣＮＮによる戦争報道は同局の名声を高めるとともに、ハイテク兵器を駆使した戦争がテレビゲーム化し、これまでとは異なった次元に〝進化〟したことを、まざまざと世界に知らしめました。

33－コーンベルト◉イリノイ州、アイオワ州ほか

ヴィーガンなんてほんの一部！　米国食事情

米国の食生活は肥満との闘い

肥満でお悩みのあなた。一度、米国を旅することをおすすめします。アンコ型は米国の専売特許。フィットネスクラブであろうがオフィス、病院、または学校でも、ところかまわず風船に水を詰めたかのような頼もしい体型の方々と出会えます。これくらいの番付ともなれば、電車やバスに乗れないどころか、自ら風呂に入ることも、用を足すことさえできません。老若男女を問わず、体重が七〇キロ程度で頭を抱えているようではまだまだ序の口。七〇〇ポンド（約三一七キロ）前後にまで増量できれば、周囲も気にかけてくれるでしょう。

米国人は朝食にハンバーガーを食べ、ランチもひとまずハンバーガーで済ませ、さて、夕食はどの店のハンバーガーにしようかと思い悩むような国民です。まさに三段腹を奮い立たせる食生活といえるでしょう。英語で肥満体は、オービズ（Obese）と言いあらわします。ラテン語の“ob”（離れて）と“edo”（食べる）が語源ですが、要は「ノーマルな食生活に反

して」といった意味合いです。「O」の文字が体型に似ているとは、口が裂けても言えません。

米ハーバード公衆衛生大学院の研究チームは二〇一九年に、「米国人の肥満をこのまま放置すれば、十年後には国民の五〇％以上が肥満と判定される」と警告しています。体重÷身長×身長で割り出される体格指数（BMI）が一三五以上になれば「高度肥満」の仲間入りを果たすことができますが（二五以上が肥満）、現在の増加ペースが続けば二五州でこの割合が二五％を超えるとも予想されています。どうすれば、これほどまで無慈悲に太れるのか。

同チームは、とくにヒスパニック系ではない成人のアフリカ系米国人女性、しかも年収が五万ドル（約五五〇万円）未満の低所得者層に高度肥満のリスクが高いと指摘しています（CNN十二月二六日付）。糖分やカロリーの高いジャンクフードがその原因というわけです。

核家族化の先陣を切り、女性の社会進出にいち早く門戸を開いた米国では、家庭料理の喪失が深刻な問題となっています。手のこんだ料理を作る余裕がなく、親から家庭料理を学ぶ機会もない。彼らにとっての〝おふくろの味〟は、とうの昔に電子レンジでチンすればすぐに食べられる調理済み冷凍食品「TVディナー」、日本でいえばほかほか弁当に取ってかわられています。昨今は、ファストフード大手のマクドナルドをはじめ、外食産業は栄養情報の一覧を公開するようにもなりましたが、これらはあくまでもメーカーが機械的に積算したものです、生活の知恵とはまったく無縁です。

日本での報道と現実の乖離

一九九〇年代からカリスマ主婦として一世《いっせい》を風靡《ふうび》したマーサ・スチュワートは、ベストセラーとなったレシピ本を皮切りにテレビ番組『マーサ・スチュワート・リビング』で人気を集め、オリジナルブランド商品の販売でも大成功を収めました。時代の寵児となった彼女が提案した豊かなライフスタイルは、すべて「家庭」がテーマとなっています。保守的な富裕層をメインターゲットに据えたマーサ・スチュワートの成功は、食卓においても社会格差が広がる米国の象徴だともいえるでしょう。とはいえ、現代の〝おふくろさん〟は離婚もすれば、インサイダー取引で有罪判決となり二〇〇四年十月から五ヵ月間服役するなど、決して絵に描いたような良妻賢母型ではなく、戦闘的な女性でもあります。

日本のマスメディアは、ヴィーガン（完全菜食主義者）やマクロビオティック（食事療法による長寿法）が、さも米国の食生活に浸透しているかのように報じていますが、なんのことはない。もっともトレンドに敏感なニューヨーカーでさえ、実践している者はさほど多いとはいえません。嘘だというのであれば、マンハッタンの高級レストランを覗いてみてください。キャリアウーマンを含む大勢の顧客は、ダイエットなどどこ吹く風。LLサイズのハンバーガーにかぶりつく姿を目撃することとなるでしょう。さすがにカロリーの過剰摂取は気にしていると言いながらも、日本人の倍以上の量を胃袋に放りこむわけですから、これを健康志向といっていいものかどうか。

食料自給を支えるコーンベルト

もっとも、こうした飽食社会は、自国で十分な食料が賄えることにより担保されています。米国の食料自給率は、農林水産省の『平成二九年度食料自給率・食料自給力指標について』によれば、カナダやオーストラリアにはかなわないものの、カロリーベースで一三〇%、生産額ベースでも九二%とほぼ〝地産地消〟。全国民の飽くなき食欲を満たしてお釣りがくるほどの生産量を誇っています（ちなみにわが国の場合は同三八%、六五%。自給率一〇〇%の農産物はコメだけです）。

これら農産物の大半を生み出しているのが、コーンベルトと称されるイリノイ州からアイオワ州に広がる中西部です。米国の農業人口はいまや全体の三%ほどにすぎませんが、広大な農地と大型の農業機械を用いて労働生産性の高い大農法を実現しています。農薬も自家用セスナ機で散布するなど、少人数で大規模な農地を合理的に管理するさまざまな工夫が凝らされています。

トウモロコシの約三分の一を生産するコーンベルトの農業従事者はカウボーイ同様、しばしばレッドネック（Redneck）と呼ばれます。レッドネックとは、日がな一日、畑仕事をしているため首筋が赤く焼けている。ゴルフ焼けならぬ野良仕事焼けした農業従事者を揶揄《やゆ》するスラングでもあります。

世事に疎い彼らから生産物を買い付け、集荷し、輸送・保管まで手がけるのが穀物メジャーと称される大手商社です。米国の農産物の輸出額は一四四九億ドル（約十六兆円）と、世界第二位のオランダ（八六六億ドル）を大きく引き離しており、日本のように食糧を輸入に頼らざるを得ない国々はこうした商社から買い付けるしか手立てがありません（国際連合食糧農業機関二〇一二年調べ）。日本も戦争直後は深刻な食糧不足にさいなまれていたとはいえ、食糧自給率は八八％もありましたが（一九四六年）、国力が高まるに伴いパンや肉の需要が増え、自給率を下げる結果となりました。

米カーギルやアーチャー・ダニエルズ・ミッドランドといった穀物メジャーは、上位五社だけで世界の穀物取引の約八割を占めるといわれています。彼らの強みは穀物流通の川上から川下までを押さえていること。そのため先物取引によって穀物相場を操ることも可能です。

環太平洋パートナーシップ協定（ＴＰＰ）を意識するあまり、わが国は米や麦、大豆といった主要作物について、国が優良な種子の安定的な生産と普及を果たすべきと定めていた『主要農作物種子法』を廃止しました。これにより穀物メジャーに種子までもが独占されるのではないかといった危機感が農業関係者には広まっています。

米国のスーパーマーケットへ行くと、生鮮食料品の圧倒的な種類と物量に圧倒されます。

一キロ単位でパッキングされたサーロインや大根ほどの太さのキュウリ。業務用かと見間違うほどのパスタの束に、成分表示は「砂糖」だけで事足りそうなスイーツの数々。米国のライフスタイルはこれまでわが国にも多大な影響を及ぼしてきましたが、ベルトが締まらなくなれば外食もままならない。高度肥満の輸出だけは控えていただきたい、と切に願うものです。

34―スーパーボウル◉ミシガン州ほか

チケット入手は超困難！　米国人のソウルスポーツ、アメフト

アメフトの王者決定戦「スーパーボウル」の熱狂

米国でもっとも人気のあるプロスポーツはといえば、野球でもバスケットボールでも、ましてやほんの少し身体が触れただけでも大げさに痛がってみせるサッカーでもありません。頑強なヘルメットやショルダーパッドに身を固め、真っ向勝負の肉弾戦をくり広げるアメリカンフットボール、いわゆるアメフトこそがマッチョ大国を代表するメガ・スポーツです。

ナショナル・フットボール・リーグ（ＮＦＬ）所属の全三二チームは、年間十六試合を戦います。体力の消耗が並大抵ではないため、メジャーリーグ（ＭＬＢ）の一六二試合、ナショナル・バスケットボール・アソシエーション（ＮＢＡ）の八二試合と比べれば、はるかに少ないマッチアップとなります。

レギュラーシーズン中は、おもに日曜日の午後にゲームが行われるため、いまやアメフト観戦は典型的な米国人の休日の過ごし方となっています。この間、男どもは缶ビール片手に

テレビの前に陣取りまったく使い物にはならない。そのため、夫婦げんかが絶えない時間帯ともいわれています。一方で、犯罪率は激減します。

アメフトの王者決定戦「スーパーボウル」は一大イベントとなる

NFLはアメリカン・フットボール・カンファレンス（AFC）とナショナル・フットボール・カンファレンス（NFC）の二つのカンファレンスがあり、それぞれに十六チームずつ所属していますが、とりわけ両者の勝者が激突する、年に一度の王者決定戦「スーパーボウル」の破壊力には度肝を抜かれます。毎年、二月上旬の日曜日に開かれるため「スーパーボウル・サンデー」と称されるこの一大スポーツイベントは、事実上祝日扱いともなっているほどです。

市の年間予算をはるかに超える経済効果がもたらされる開催地はオーナー会議によって選ばれますが、収容能力が六万人以上のスタジアムでなければ対象外といった明確な基準が設けられています。これを日本に当てはめれば、二〇一九年十一月に竣工した国立競技場と日産スタジアム（神奈川県横浜市）、埼玉スタジアム2002（埼玉県さいたま市）でしか開催できないことになります。

ちなみに米国最大のアメフト専用スタジアムは、ミシガン州アナーバーにあるミシガン・スタジアムで、収容人員はなんと十万九九一一人。〝ビッグ・ハウス〟の異名を取る同スタジアムは、北朝鮮民主主義人民共和国の首都・平壌《ピョンヤン》にあるメーデー・スタジアム（公称十一万四〇〇〇人）に次いで世界第二位の規模を誇っています（収容人員が八万人を超えるスタジアムは全米に二六ヵ所もあります）。

プロ顔負けのカレッジ・フットボールの集客力

NFLのわずか数試合の開催で採算が取れるのか、と不思議に思う読者もおられるでしょうが、米国にはプロフットボールにも引けを取らない集客力を誇るカレッジ・フットボールもあります。日本でいえば高校野球のようなものですが、そのスケールたるや、まるで大人と子ども、月とスッポンです。

フロリダ大学やアラバマ大学といった名門校を擁するサウスイースタン・カンファレンス（SEC）に属するアメフト部の興行収益は、年間五〇〇〇万ドル以上（約五一億円）にものぼり、ことのほかスポーツ事業に力を入れているテキサス大学などは、一億五〇〇〇万ドル（約一七〇億円）もの莫大な収益をスポーツ・ビジネスから得ているといわれています。これでアマチュア競技といわれても首を傾げざるを得ません。

デトロイト・ライオンズ（NFC）はミシガン州のチームですが、本拠地はデトロイトのフォード・フィールド。巨大なミシガン・スタジアムをホームにしているのは、驚くことにミシガン大学のアメフト部ミシガン・ウルヴァリンズだけです。同大の生徒数は四万人あまりであるにもかかわらず収容率は何と一〇二・九％！　毎試合、市の人口とほぼ同数のフットボールファンが押し寄せ、二〇〇六年十一月四日には二〇〇試合連続観客動員数十万人以上を記録しています（収容規模の一位から十位まではすべて大学のホームスタジアムです）。

私も留学時代、母校の試合には在校生割引クーポンに釣られて幾度となくスタジアムに足を運びました。そうはいっても大学生の試合だろう、と舐めてかかると痛い目にあいます。マーチングバンドに率いられて選手たちは入場し、ハーフタイムショーには地元の人気バンドが出演するなど、観客を飽きさせないさまざまなエンターテインメントが次から次へと披露されます。加えて米国は地元びいきが激しいため、ビジター席はほんのお飾り程度。カレッジ・フットボールが開催される土曜日も、また街をあげてのお祭り騒ぎとなります。

スーパーボウルはチケットの金額もスーパー

「スーパーボウル」の「ボウル」は「球（Ball）」とカン違いされがちですが、これはスタジアムの形状を表す「鉢（bowl）」という意味です。多種多様な人種、思想、信仰の坩堝《るつぼ》である米国はサラダボウルにも例えられますが、スーパーボウルはまさに、あらゆる垣根を越えて人心をひとつにする受け皿として機能している、ともいえるでしょう。

試合は世界各国にテレビ中継され、米国内の視聴率は一九九一年以来、三〇年にわたり四〇％を突破。歴代平均視聴率トップテンの番組のうち、九つがスーパーボウルの中継で占められています（トップは二〇一五年の第四九回大会ニューイングランド・ペイトリオッツ対シアトル・シーホークス戦の七一％）。

そのため三〇秒のコマーシャルを一回放送するための広告料は、史上最高額の平均五六〇万ドル（約六億円）にまで高騰しています（二〇二〇年）。試合当日までの一週間、地元で開催される数々のアトラクションやコンサートなど、スーパーボウル・エクスペリエンスを含めれば、開催地への経済効果は五億ドル（約五五〇億円）を下らないとされています。

多くの米国人は、「死ぬまでに一度はスーパーボウルを観てみたい」といった願望を抱いているだけに、入場券は文字通りのプラチナ・チケットとなり、最安値でも三四〇〇ドル前後（約三七万円）、四万ドル（約四三六万円）もの高値で取り引きされることも珍しくはありません。

かつて連邦捜査局（ＦＢＩ）が一計を案じ、重犯罪者の実家宛に「スーパーボウルのチケットが当選しました！」と記した手紙を送ったところ、何を血迷ったのか、指定場所に凶悪犯がぞろぞろ出頭してきた、という嘘のような本当の話があります。

そもそも英国生まれのラグビーから派生したアメフトが、国民的スポーツにまでのぼり詰めた理由はいくつか挙げられます。米国という国の妙なところは、欧州の封建制度に反旗をひるがえして誕生したにもかかわらず、ローマ帝国に対するあこがれがやたらと強い。コロッセオ（円形闘技場）を模したすり鉢状のアメフト専用スタジアムや、甲冑《かっちゅう》に身を包んだ剣闘士を思わせる選手がぶつかり合うアメフトは、その最たるものでしょう。一方で、英国生まれのサッカーを意味する「フットボール（Football）」といった名称に、あえて「アメリカン」を冠するなど、米国の欧州に対する憧れとコンプレックスを垣間見ることができます。

我々日本人には、あまりにも格闘技色が強くとっつきにくいイメージのあるアメフトですが、実際には、すべてのプレーにコンピューターを駆使して編み出されたフォーメーションが用いられるなど、究極のハイテク・スポーツといった側面をもっています。そのためサッカーやバスケットボールに比べれば不確定要素ははるかに少ない。しかしながら計算し尽くしたシミュレーションであっても、人間がプレーする以上、予測不可能なビッグプレーは起こり得る。これが単なる飲んだくれのみならずエリート層をも虜《とりこ》にするアメフトの魅力といってもいいでしょう。あまりにも「アメリカン」であるがためにアメフトは唯一、文化輸出ができなかった米国産コンテンツであることも見逃せません。

ニューイングランド・ペイトリオッツの名タイトエンドとして知られたロブ・グロンコウスキーはいいます。

「チームには育った環境や人種、宗教が異なる選手が集まっている。それでも勝つためにひとつになる。それが、それこそがU.S.A.なんだ」

35－国立九・一一記念館と博物館◉マンハッタン（ニューヨーク州）
傷つけられたプライドと怒りの展示

世界を見下ろすニューヨーク摩天楼の歴史

高所恐怖症である私にはどうにも理解しがたいことですが、どうやら人は高いところに憧れるようです。古くはバベルの塔。『旧約聖書』の「創世記」十一章四節に、「さあ、我々の街と塔を作ろう。塔の先が天に届くほどの」といった記述があります。要は、人間ごときが神の領域を侵そうとした。これには慈愛に満ちた神さえも怒りを覚えたようで、「我々は下って、彼らの言葉を乱してやろう。彼らが互いに相手の言葉を理解できなくなるように」とお仕置きします。

とはいえ、古代人が創り上げた神さえも地の底ではなく、空のはるか彼方に住んでいる。「上から見下ろす」という行為そのものが、人間の欲望の最たるものなのかもしれません。

ニューヨーク州マンハッタンはしばしば、摩天楼と言いあらわされます。摩天楼とは「天をこするほど高い楼閣」という意味で、英語のスカイスクレイパー（Skyscraper）の訳語として二〇世紀初頭に編み出された表現です。スカイスクレイパーとは元々、帆船のもっとも高いところに張られた三角形のスカイセルのことで、これが転じて高層ビル群を指すようになったともいわれています。

マンハッタンの摩天楼の歴史は、エンパイア・ステート・ビル（ＥＳＢ）から始まったといっても過言ではありません。同ビルは、世界一の高さを誇る建造物を目指して、一九三一年四月十一日に建てられました（一〇二階、高さ四四三・二メートル）。それまでの最高峰は、大手自動車メーカー、クライスラーの創業者ウォルター・クライスラーが私費を投じて一九三〇年に建てたクライスラー・ビルの三二〇メートルでした。低層部と最頂部には、当時流行の最先端であったアール・デコ様式がふんだんに採り入れられ、豪華絢爛な内装が施されています（一九八六年には米国立公園局が国定史跡に指定）。誰も彼もが「高さ」に固執し、競いあいます。

ＥＳＢの建設が構想された狂騒の二〇年代（Roaring Twenties）は、第一次世界大戦を経て大量生産・消費社会が到来し、米国が世界でもっとも富める国として世界の表舞台に躍り出た時代でした。この計画を主導した一人で大手化学メーカー、デュポンのナンバー2であったジョン・Ｊ・ラスコブは、

「誰でも毎月十五ドルずつ株を購入していけば、必ず金持ちになれる」と大見得を切りましたが、そのわずか二ヵ月後の一九二九年十月二四日、ニューヨーク株式市場は大暴落に見舞

われ、世界大恐慌に突入します。いわゆるバブル経済の崩壊です。同年三月十七日に着工されたＥＳＢ自体、そもそも投機目的のプロジェクトだったこともあり、その誕生からして不吉な運命を背負っていたというわけです。

この〝欲望の象徴〟を、その高さで凌駕したのが一九七二年に建設されたワールドトレードセンター（ＷＴＣ）でした（一一〇階、五二七メートル）。

ワールドトレードセンターのツインタワー

億万長者として知られるデイヴィド・ロックフェラーの都市再開発プロジェクトとして計画されたＷＴＣは、総工費六億五〇〇〇万ドル（当時の為替レートで約二五〇〇億円）を投じて建設されます。設計を手がけたのは日系二世の建築デザイナー、ミノル・ヤマサキ。サウジアラビア王国との関係が深かった彼は、設計を手がけていたキング・ファハド国際空港が完成した一年後に、ＷＴＣを請け負いました。

ツインタワーと称されたオフィスビルを中心に七棟からなる建物群には、世界の金融市場を牛耳る大手金融や証券、保険会社など四三〇ものテナントが入居し、ＷＴＣはまさにＥＳＢになりかわって〝世界の富の象徴〟として君臨します。

南タワーの一〇七階には展望ルームがあり、二本のエスカレーターを乗り継いでさらにのぼると、「トップ・オブ・ザ・ワールド」と銘打たれた屋外展望デッキ（地上四二〇メートル）に達し、文字通り世界一の絶景を見下ろすこともできました。
膝小僧がぶるぶる震える私は、北タワーの同じく一〇七階にあった高級レストラン「ウインドウズ・オン・ザ・ワールド」から、ガラス越しにニューヨークの夜景を肴《さかな》にカクテルの王様と称されるマンハッタンを堪能するしかありませんでした。

WTCが建設されていた当時は、リチャード・ニクソン米大統領によって中華人民共和国との国交正常化が図られ、ソビエト社会主義共和国連邦（旧ソ連）ともデタント（緊張緩和）が進められ、冷戦構造に変化のきざしが見られました。しかしながら米国は、世界でもっとも高いビルの完成を待ちかまえていたかのように、原油の供給逼迫と価格高騰によって引き起こされたオイルショックに見舞われます（一九七三年〜）。

二〇〇一年九月十一日、テロリストの攻撃

世界を恐怖のどん底に陥れた〝事件〟が起きたのは、二〇〇一年九月十一日午前八時四六分。イスラム過激派テロリストに乗っ取られたアメリカン航空一一便が北タワーの九三から九九階付近に、その十七分後にはユナイテッド航空一七五便が南タワーの七七階から八五階に激突。自爆テロによって猛火に包まれた南タワーは五六分後に、北タワーも一〇二分間炎上したのちに崩れ去りました。この九・一一事件は、民間人二一九二名、消防士三四三名もの死者を出す、米国史上に残る大惨事となります。私もテレビから延々と流されるライヴ中

継を観ながら、「これで世界は、終わったかもしれない」と思ったほどでした。

米国にとっては、一九四一年十二月八日未明に、大日本帝国海軍によってハワイ州（当時は準州）オアフ島の真珠湾を攻撃されて以来の屈辱だったといえるでしょう。しかも今回は、米国本土から遠く離れた太平洋上の島ではなく、国際経済の中心地ニューヨークが攻撃目標となったことに、多くの米国人は計り知れない衝撃を受けました。ニューヨーク在住の日本人の知人の多くが心的外傷後ストレス障害（PTSD）を患い、次々と帰国してきたことを昨日のことのように思い出します。

写真中央、高くそびえる２棟（ワールドトレードセンター）に、テロリストにハイジャックされた飛行機が激突。ビルは倒壊した

米国は無差別テロ攻撃への報復処置として、二〇〇一年十月七日には国際テロ組織アルカイダを擁護しているとしてアフガニスタン・イスラム共和国を実効支配していたタリバンに攻撃を行い（不朽の自由作戦：Operation Enduring Freedom）、〇三年三月十七日にはイラク共和国に対して空爆を行い、米国が主導する有志連

合はその二日後にイラクへの侵攻を開始しました。この攻撃はキリスト教徒による十字軍にも例えられ、イスラム教徒に対する差別感情をも助長する事態に発展していきます。しかしながら、こうした米軍主導による対テロ戦争も、二一年八月に駐留米軍がアフガニスタンからの完全撤退を余儀なくされたことで、ベトナム戦争に続く米国の不名誉極まりない「敗北」が決定的となりました。

博物館の展示は何を訴えるのか

不自然にねじ曲がり焼けただれた巨大な鉄骨、何トンものがれきに押しつぶされた消防車、地下に残された無数の杭基礎、そして廃墟に最後まで立っていた鉄筋"Last Column"(最後の支柱)。いわゆる「グラウンド・ゼロ」に、二〇一一年にオープンした『国立九・一一記念館と博物館』(National September 11 Memorial & Museum)では、まるで巨額な製作費を投入したハリウッド映画のセットを思わせる壮大な展示が広がっています。

空港と同レベルの厳重なセキュリティチェックを受け、館内を進むと、WTCの建設計画立案からその施行工程や工事の様子までが豊富な資料とともに詳細にわたって説明されています。がれきの展示をのぞけば、まるでWTCを讃美する歴史博物館を訪れたかのような錯覚に襲われます。

狂信的なイスラム教徒に対する有志連合の正当性を説く展示が終わると、ようやく、テロリストの犠牲となった人々の顔写真が壁一面に掲げられた部屋へと辿《たど》りつきます。

　こうした歴史的惨事の展示方法で思い起こされるのが、原爆投下による被害をいまに伝える広島平和記念資料館です。二〇一九年四月に全面リニューアルされた同館は、被爆によって命を落とした人々の遺品や熱線を浴びて異様に変形した品々を淡々と展示することで、核兵器の恐ろしさ、非人道性を訴えています。

　一方で、『九・一一記念館と博物館』では、犠牲者の鎮魂施設を謳いながらも、その大部分はＷＴＣがいかに優れた建造物であったかにスペースが割かれています。つまり、九・一一事件は米国人にとって、異教徒によるテロリズムに対する怒りを引き起こしただけではなく、二〇世紀を牽引した超大国としてのプライドがいたく傷つけられた〝一大事〟として、彼らの心に深い傷跡を残したことがわかります。

　この施設の設立には名だたる大手企業が出資しています。にもかかわらず、広島平和記念資料館の観覧料が二〇〇円（大人）であるのに対して、国立である同館のそれが二六ドル（約二八〇〇円）であることにも複雑な感情を抱かざるを得ませんでした。

　“Remember Pearl Harbor”《リメンバー・パール・ハーバー》から“Remember 9.11”《リメンバー・ナイン・イレブン》へ。目には目を、歯には歯を。「右の頬を殴られたら左の頬をも差し出せ」（マタイによる福音書五章三九節）と説くキリストの教えを尊ぶ国でありながらも、刃向かう相手に対しては、米国は決してその罪を赦そうとはしません。

2001年の事件以降、毎年9月11日には全米各地で追悼イベントが催される

同館を出ると、ＷＴＣ跡地に建てられたワン・ワールド・トレードセンターの威容が目に飛びこんできます。米国独立の年にちなんだ一七七六フィート（五四一メートル）といった高さでは、世界第六位に甘んじたものの、世界最大の都市ニューヨークを一望の下に睥《へい》睨《げい》することができます。どうやら人間は、いつまで経っても「上から見下ろす」ことをあきらめきれないようです。もっとも私は、大好物のホットドッグをかじりながら地上から見上げるしかありませんが。

36－フィラデルフィア◉ペンシルヴェニア州 建国の地に民族融和の花は咲くのか

友愛をモットーとする建国の地

「パーン、パーン！」

夜の静寂に、乾いた音が響きわたります。

「こんな時間にパンクでも起こしたのだろうか」

不審に思い、米国人の友人に尋ねると、

「銃声だよ、銃声」

と、事もなげに答えます。

「月に一度は聞こえるさ」

やがて数台の警察車輛がけたたましくサイレンを鳴り響かせながら、目の前のノース・ブロード通りを走り去っていきました。ペンシルヴェニア州フィラデルフィア。私がテンプル大学に留学していたときの出来事です。

建国の地として知られるこの街は、ギリシャ語の〝phil（愛）〟と〝adelphi（兄弟）〟から名づけられ、「友愛」をモットーに掲げています。同都市部の人口は約五七二万人で全米第五位にランクし、人種別人口比率はコケージャン（白人）が四一・〇％でヒスパニック・ラテン系が十二・三％。アフリカ系米国人は四三・四％にものぼり（二〇一〇年度国勢調査）、米東海岸に位置する大都市の例に漏れず、アフリカ系米国人が市民の半数近くを占めています。私が居住していた当時はウッドロー・W・グッド市長が、同市初のアフリカ系米国人首長を務めていました。

市中心部に広大なキャンパスを有するテンプル大学は、ニューヨークのコロンビア大学と同じく、低所得者層の住居が広がる、いわゆるスラム街に囲まれた典型的なアーバン・スクールとして知られています。そのため一九八〇年代には、数ブロック先では日中から麻薬を売りさばく密売人が徘徊し、地下鉄の構内には幾人ものホームレスが横たわり、干からびた汚物が異臭を放っていました（現在も、キャンパスからほど近いケンジントン・アベニュー沿いには、無数の麻薬中毒者がまるでゾンビのようにたむろし、全米屈指の危険地帯として知られています）。

私が利用していた近郊のスーパーマーケットの顧客は、当然のことながら八割方がアフリカ系市民。当初驚いたのは、誰も現金で支払いをしていなかったことです。信用調査があるクレジットカードなど持てるはずもなく、ほとんどの顧客がフードスタンプを利用していました。

フードスタンプとは、低所得者層向けの補助的栄養支援プログラムによって支給される金券です（当時は紙製のバウチャーでしたが、現在はプラスチックカードになっています）。

こうした〝危険な地域〟で学生生活を送っていただけに、私は米国におけるアフリカ系米国人の置かれている過酷な現実を、身をもって知ることとなります。

ジョージ・フロイド氏の死が暴いたもの

二〇二〇年五月二五日、ミネソタ州ミネアポリスでアフリカ系市民のジョージ・フロイド氏が警察官によって拘束され、膝で頸部を八分四六秒にわたり路上に押さえつけられ窒息死するという衝撃的な事件が起こりました。

警察官によるアフリカ系市民に対する不当な拘束、過剰な暴力は、何もいまに始まったことではありません。二〇一九年には一〇〇四名が警察官によって射殺されていますが、そのうち二三・四％がアフリカ系市民だったと国勢調査局は伝えています。

二〇一六年七月五日にもルイジアナ州バトンルージュで、アフリカ系市民のアルトン・スターリング氏が警官に取り押さえられ、至近距離から射殺されるといった悲惨な事件が発生しています。

このときは、人種差別的な警察の措置に抗議の意を表すべくナショナル・フットボール・

"Black Lives Matter" のスローガンを掲げ、片膝をついて訴える人たち

リーグ（ＮＦＬ）の名門チーム、サンフランシスコ・フォーティナイナーズのクオーターバック、コリン・キャパニック選手が試合前の国歌演奏時に起立せずに片膝をつき、全米に衝撃を与えました。

「アフリカ系市民や有色人種に対する差別がまかり通る国に敬意は払えない」

　これを受けてトランプ前大統領がツイッターで、

「ＮＦＬで何億もの金を稼ぐ恩恵に浴しているプレーヤーは、我々の国歌を讃えるべきであり、偉大なる星条旗（あるいは国家）を侮辱することは決して許されない。もしも、それに同意できないのであれば、おまえはクビだ。ほかにそれができる者を探せばいいだけの話だ」（九月二四日／著者訳）

と、同選手の行為を批判し、物議を醸しました。この片膝をつく、といったポーズは以降、人種差別反対への共闘と団結を表す行動として世界中に広まりました。

二〇二一年にわが国で開催された東京二〇二〇オリンピック競技大会においても、英国の女子サッカー代表チームが七月二一日に札幌ドームで開催された対チリ共和国代表戦で、試合開始前にピッチ上で肩膝をつき人種差別に対する抗議の意志を表明。チリ、米国や日本代表チームもこれに賛同し、同じ行為に及びました。

米国で暮らすアフリカ系の国民たち

アフリカ系米国人は、ほかの移民とは違い、唯一、自ら望んで海を渡ってこの国にやってきた人々ではありません。おもに綿花栽培の労働力として、アフリカ大陸から奴隷として強制的に連行されてきました。北米で、はじめて奴隷貿易が行われたのは一六一九年。ちょうどその年に民主主義の象徴である米国初の代議制議会がヴァージニアで誕生したことを考えれば、歴史の壮大な皮肉を感じざるを得ません。

奴隷の数は、十九世紀初頭には約九〇万人でしたが、一八六三年の奴隷解放宣言、六五年の憲法修正第十三条により奴隷制度の廃止が法的に確定した際には、四〇〇万人近くにまで膨れあがっていたといわれています。

法制度は変われども、こうした差別の構造は一向に改められることはなく、一九五〇年代に入るとアフリカ系市民の人権、選挙権の保障、教育機会を求める公民権運動が激しさを増します。六四年にノーベル平和賞を受賞したマーティン・ルーサー・キング・ジュニア牧師らの努力の甲斐あって、やがて六四年七月には公民権法（The Civil Rights Act）が制定されますが、南部諸州ではアフリカ系市民に対する差別意識が根強く残り、北部では経済格差が広まっていきました。

警察官が容疑者に対して過剰とも思える暴力をふるう行為は、我々日本人には理解しがたいものです。しかしながら、米国に住めば銃器が生活の一部となっていることを思い知らされます。強盗犯やレイプ犯のみならず、護身のために拳銃をハンドバッグに潜ませている一般女性も少なくありません。私も友人に「彼がプレゼントしてくれた」という拳銃を見せてもらったことがありますが、女性の手にもすっぽり収まり、おしゃれな意匠が施されたアクセサリー感覚のモデルも数多く売られています。

お上からではなく、市民からの秩序形成を基本理念とする米国では、憲法修正第二条によって、市民が銃を所持・携帯する権利が認められているため、これを阻止することはできません。それだけに警察官は駐車違反を取り締まるにしても、酔っ払いをしょっ引くにしても、相手が銃を携帯している可能性を想定して職務質問しなければならない。これは警察官にとっても相当なストレスであることは想像にかたくありません。

警察官を含む政府職員は、一九八二年に最高裁判所が作った「限定的免責（Qualified Immunity）」という法制度により、有効な令状に基づく逮捕もしくは拘留であれば、連邦法上の権利を侵害した場合においても違憲性を問われることはない、と定められています。それが権力の横暴を助長している、といった説もあります。

一方で、若いアフリカ系米国人の男性は常日頃、警官から身を守るために「ポケットに手を入れない」「外出時には身分証明書を携帯する」「警官に職務質問されたら反論せず、協力的に振る舞う」といった処世術を身につけなければなりません。私の友人であったエチオピア人留学生も、道端で警察官に突然呼び止められ、理由をただしたところ問答無用で殴られたことがありました。

アフリカ系市民を街角で見咎めると、警察官が無意識に犯罪と結びつけてしまう（レイシャル・プロファイリング）ところに、米国における人種差別の根深さがあります。

二〇一五年にAP通信と調査会社NORCが実施した調査によると、警察官による暴力を深刻な問題と捉えているコケージャン（白人）の市民は五分の一に留まったにもかかわらず、アフリカ系市民では四分の三がそのように考えると答えています。実際、有罪判決を受けたアフリカ系市民が刑務所に収監される確率はコケージャンの五倍、ヒスパニック・ラテン系の二倍近くにも達しています。

暴力は止まず、衝突はくり返すのか

二〇一二年、フロリダ州サンフォードで十七歳の少年が自警団員に射殺された事件をきっかけに“Black《ブラック》 Lives《ライヴズ》 Matter《マター》”といったスローガンが生まれ、アフリカ系市民差別に対する抗

フィラデルフィアにある「自由の鐘」には「全国土の全住民のために自由を要求する」という文言が刻まれている

議の声が世界中で高まりました。「奴隷制度」という民主主義とは真っ向から対立する〝負の歴史〟に背を向け、解決を先延ばしにしてきたことで、社会格差と軋轢《あつれき》はいまも拡大しています。

フィラデルフィアでは、かつて「〝白人〟に投票を！」と呼びかけ八〇年代にアフリカ系市民に対する差別意識を助長したフランク・リッツォ市長が標的となりました。市庁舎前に建てられていた彼の銅像はデモ隊によって破壊され、二〇二〇年六月三日に撤去されます。社会の趨勢《すうせい》を読んだジム・ケニー市長はすかさず、

「長らく頑迷さ、憎悪、圧制の対象であった彼がついにこの街から去った」

と賛意を表明します。

疑心暗鬼は憎しみを生み、一九六〇年代にはキング牧師の非暴力主義とは一線を画し、警察暴力からの自衛と市民が武装する権利を主張したブラック・パンサー党が都市部を中心に若年層の支持を集め、人種間対立を深めることにもなりました。フィラデルフィアでも、

「奴らが棍棒で我々を従属させたように、我々は暴力で権利を勝ちとる」といった声がしばしば聞かれました。暴力が暴力を呼ぶ。くすぶっていた不満が飽和点に達するたびに、衝突はくり返し表面化してきます。

ネイティブ・インディアンの処遇とあわせて、アフリカ系市民との融和は、米国が避けては通れない根源的な問題です。そもそもアフリカ大陸には「黒人」といった概念はありません。「イボ」や「アカン」といった部族に属する人々です。アフリカ人は、米国に渡ってはじめて「黒人」に分類されるともいえます。果たして、奴隷制廃止運動の象徴でもあったフィラデルティアの「自由の鐘」が、再び高らかに鳴らされる日は来るのでしょうか。

あとがき

「アメリカ合衆国」とは、四〇年来の腐れ縁になります。米国の大学を卒業し、一ジャーナリストとして政治から経済、文化、スポーツに至るまで幅広い分野の取材で、これまで幾度となく全米各地を訪れてきました。数多くの米国人との出会いと別れを経験しました。

そのため、いわゆる〝米国通〟の端《はし》くれではありますが、同国の華やかで豊かな「表」の顔のみならず、腐臭にまみれた「裏」の顔も数多く見聞きしてきただけに、〝親米派〟とはいえません。しかしながら私にとって、世界広しといえども、米国ほど興味深く、刺激的な国はありません。

黒船の来航から明治維新、太平洋戦争、バブル経済から平成不況に至るわが国の近代史の端々《すみずみ》に、米国は、まるで影法師のように姿を現します。日本という国の辿《たど》ってきた道程、そして行く末を推し量るためには、どうしても「アメリカ合衆国」を理解する必要があります。

二〇世紀は、「アメリカ合衆国」の時代でした。九八三万四〇〇〇平方キロメートルという広大な国土に、三億三〇〇六万人もの人々が住まうこの国は、善きにつけ悪しきにつけ「近代」、そして「現代」を先導してきました。また、建国からこのかた、人類の壮大な「実験場」としても機能してきた。常に、チャレンジャーとして既成概念や社会体制、古色蒼然とした慣習と血みどろの闘いをくり広げてきたのです。

民主主義に始まり自由主義経済、人権や多様性の尊重といった「美徳」のみならず、飽くなき欲望の追求や徹底した実力主義によって生み落とされた社会格差、さらには大量殺戮兵器の開発といった「悪徳」を、何ら恥じることなくこれほどまでに実践し、世界に伝播させた国は、米国をおいてほかにはありません。私が、愛憎相半ばするこの国を、注視しつづけてきた理由がそこにあります。

しかしながら二十一世紀を迎え、この超大国は大きな転換期を迎えようとしています。さまざまな人種や宗教、思想、性別を擁した人々を、近代国家といったひとつのユニットとしてまとめ上げてきたのは「民主主義」と「自由」そして「自主独立」といった普遍的価値でした。

それが人種構成や経済基盤、社会構造の急激な変化にさらされ、新型コロナウイルスの感染拡大も相まって、「亀裂」が「分断」にまで広がり、この国の根本を揺さぶっています。建国以来、米国が堅持してきた理念と理想が揺らいでいます。十年後、いや早ければ次代の大統領が選出される三年後にも、私たちが知る「アメリカ合衆国」はもはや、この地球上に存在していないかもしれません。

米国が、連邦制の再構築を含む「分断」の道を選ぶのか。それとも粘り強く友愛と連帯を説き、歴史的「和解」を実現することで、新たな一歩を踏み出すのか。すべては米国民の判断に委ねられています。

米国には、「聖地」があります。近代国家としての成立から、二世紀半たらずの歴史しかもたないこの国には、もっともそぐわない表現と思われる読者も多いことでしょう。しかしながら、米国人にとっての「聖地」は確実に存在します。それは米国人以外にとってはさしたる価値はなく、安っぽく、ややもすれば憎悪の対象となる〝地〟でもあります。

しかしながら土地には、霊力が宿ります。米国の最大の魅力は、その雄大な自然であることは言をまちません。しかしながら本作では、これら天の恵みは素通りしています。米国人という生身の人々が営々と築きあげ、彼らの想いが充満した街、〝場〟を取り上げています。

米国とは何か？　を問う本作を執筆するにあたり、私は、この国の「聖地」を「巡礼」してきたこれまでの経験を踏まえて、その土地土地が発する〝磁力〟を描こうと思い立ちました。それこそが、日々、消費されるニュースからは決して捉えることのできない「アメリカ合衆国」の有する圧倒的な底力を知る一助になると考えたからです。

「アメリカ」という国家は、存在しません。正式名称は「アメリカ合衆国（United States of America）」であり、英語で“America”といえば南北アメリカ大陸を指します。よって本作では、意識的に「アメリカ」といった表記は用いていませんが、題名にはあえて「アメリカ」を採用しました。なぜならば、すでに賢明な読者はお察しのように、米国はこれまで、私たち日本人にとって見果てぬ夢であり、これからも大いなる幻想でありつづけるからにほかなりません。
「アメリカ」という国は、この世にはありません。それは、私たちの心の中にのみ存在する理想郷であり、世紀末の風景でもあります。Welcome to the Promised Land! ようこそ、「天使」と「悪魔」が共存する約束の地へ。すべては、ここから始まりました。

弓狩匡純

二〇二一年一〇月一〇日

主要参考文献

石黒マリーローズ『聖書で読むアメリカ』ＰＨＰ研究所、二〇〇六年
ウォルター・アイザックソン『スティーブ・ジョブズ』（井口耕二訳）講談社
大下尚一、有賀貞、志邨晃佑、平野孝編『史料が語るアメリカ　メイフラワーから包括通商法まで　１５８４－１９８８』有斐閣、一九八九年
ジャック・ケルアック『オン・ザ・ロード』（青山南訳）河出書房新社、二〇一〇年
ジャン・ボードリヤール『アメリカ　砂漠よ永遠に』（田中正人訳）法政大学出版局、一九八八年
ジョエル・ガロー『九つに分断された超大国　どのアメリカが怒っているのか』（李隆訳）徳間書店、一九九〇年
Ｊ・ホイジンガ『アメリカ文化論―個人と大衆―』（橋本富郎訳）世界思想社、一九八九年
袖井林二郎『マッカーサーの二千日』中央公論新社、二〇〇四年
ダナ・Ｒ・ガバッチア『アメリカ食文化　味覚の境界線を越えて』（伊藤茂訳）青土社、二〇〇三年
谷岡一郎『ラスヴェガス物語「マフィアの街」から「究極のリゾート」へ』ＰＨＰ研究所、一九九九年
津神久三『フロンティアの英雄たち』角川書店、一九八二年
ネイサン・グレイザー、ダニエル・Ｐ・モイニハン『人種のるつぼを越えて―多民族社会アメ

リカ』（阿部齊、飯野正子訳）南雲堂、一九八六年
ピーター・バイダ『豊かさの伝説―アメリカ・ビジネスにおける価値観の変遷―』（野中邦子訳）ダイヤモンド社、一九九二年
広島市編『広島原爆戦災誌　第五巻資料編』広島市、一九七一年
フィリップ・ジャカン『アメリカ・インディアン―奪われた大地』（富田虎男訳）創元社、一九九二年
ベルナール＝アンリ・レヴィ『アメリカの眩暈　フランス人哲学者が歩いた合衆国の光と陰』（宇京頼三訳）早川書房、二〇〇六年
ポール・ファッセル『階級「平等社会」アメリカのタブー』（板坂元訳）光文社、一九八七年
弓狩匡純『国旗・国歌・国民　スタジアムの熱狂と沈黙』ＫＡＤＯＫＷＡ、二〇二〇年
弓狩匡純『平和の栖　広島から続く道の先に』集英社クリエイティブ、二〇一九年
レスリー・フィードラー『消えゆくアメリカ人の帰還』（渥美昭夫、酒本雅之訳）新潮社、一九八九年
Bahti, Tom. 1968. *Southwestern Indian Tribes*. Witteir: KC Publications.
Bailey, A. Thomas, David M. Kennedy. 1983. *The American Pageant: A History of the Republic*. 7th ed.. Lexington: D. C. Heath and Company.
Chaikin, Andrew. 1994. *A Man On The Moon: The Voyages of the Apollo Astronauts*. New York: Viking.
Fehrenbach, T. R.. 1968. *Lone Star: A History of Texas and the Texans*. New York: Wings Books.
Freedom's Doors: Immigrant Ports of Entry to the United States. 1986. edited by Gail F. Stern.

Philadelphia: The Balch Institute.
Gruver, Rebecca Brooks. 1981. *An American History: Volume II from 1865 to the Present.* 3rd ed.. Boston: Addison-Wesley.
Israelowitz, Oscar. 1990. *Ellis Island Guide.* New York: Israelowitz Publishing.
London, Jack. 1990. *Stories of Hawaii.* Honolulu: Mutual Publishing.
Man in Space: An Illustrated History of Space Flight. 1993. edited by H. J. P. Arnold. New York: Smithmark.
McWilliams, Carey. 1973. *Southern California: An Island on the Land.* Salt Lake City: Gibbs M. Smith.
Mosley, Leonard. 1985. *Disney' s World.* New York: Stein and Day.
Murray, Albert. 1976. *Stomping the Blues.* New York: Random House.
Puzo, Mario. 2009. *The Godfather.* Iowa: Arrow.
Talese, Gay. 1981. *Thy Neighbor' s Wife.* New York: Dell Publishing.
Toll, C. Robert. 1974. *Blacking Up: The Minstrel Show in Nineteenth-Century America.* London: Oxford University Press.
Shepard, Alan and Deke Slayton. 1994. *Moonshot: The Inside Story of America' s Race to the Moon.* Atlanta: Turner Publishing.
Whittemore, Hank. 1990. *CNN: The Inside Story.* Boston: Little, Brown and Company.

その他、日米の主要新聞および雑誌、公文書、インターネット公開情報など

【画像】
◎p.23　Agent Wolf / Shutterstock.com
◎p.48　Science Source/ アフロ
◎p.64　MM_photos / Shutterstock.com
◎p.81　Michael Gordon / Shutterstock.com
◎p.94　Sociopath987 / Shutterstock.com
◎p.103　Ingus Kruklitis / Shutterstock.com
◎p.121　jejim / Shutterstock.com
◎p.128　Tada Images / Shutterstock.com
◎p.132　adolf martinez soler / Shutterstock.com
◎p.159　アフロ
◎p.168　SNEHIT PHOTO / Shutterstock.com
◎p.187　Zhukova Valentyna / Shutterstock.com
◎p.191　Everett Collection/ アフロ
◎p.201　Burt Glinn/Magnum Photos/ アフロ
◎p.210　TonelsonProductions / Shutterstock.com
◎p.236　Science & Society Picture Library/ アフロ
◎p.239　achinthamb / Shutterstock.com
◎p.251　JustPixs / Shutterstock.com
◎p.263　ロイター / アフロ
◎p.273　Attila JANDI / Shutterstock.com
◎p.276　弓狩匡純
◎p.280　AFP/ アフロ

著者略歴

1959年、兵庫県に生まれる。米テンプル大学教養学部卒業後、世界50ヵ国以上の国々を訪れ、国際情勢・経済・文化からスポーツに至る幅広い分野で取材・執筆活動を続ける。
著書には被爆地・広島の戦後復興をヒューマン・ドキュメンタリーとして描き、第15回開高健ノンフィクション賞にノミネートされた『平和の栖《すみか》 広島から続く道の先に』（集英社クリエイティブ）、被爆体験証言者と共に1枚の絵を描く高校生たちを追った第66回青少年読書感想文全国コンクール課題図書〈中学校の部〉『平和のバトン 広島の高校生たちが描いた8月6日の記憶』（くもん出版）、世界84ヵ国の国歌を収録した『国のうた』（KADOKAWA）、大手四十数社の企業理念と波乱に満ちたその歴史に迫った『社歌』（文藝春秋）などがある。

ＪＡＳＲＡＣ　出　２１０８８２１－１０１

アメリカの世紀《せいき》

——繁栄《はんえい》と衰退《すいたい》の震源地《しんげんち》をゆく

二〇二一年一一月六日　第一刷発行

著者　弓《ゆ》狩《がり》匡純《まさずみ》
発行者　古屋信吾
発行所　株式会社さくら舎　http://www.sakurasha.com
東京都千代田区富士見一-二-一一　〒一〇二-〇〇七一
電話　営業　〇三-五二一一-六五三三　ＦＡＸ　〇三-五二一一-六四八一
編集　〇三-五二一一-六四八〇
振替　〇〇一九〇-八-四〇二〇六〇
装丁　石間　淳
装画　金子貴富
作図　有限会社マーリンクレイン
印刷・製本　中央精版印刷株式会社

ISBN978-4-86581-319-7